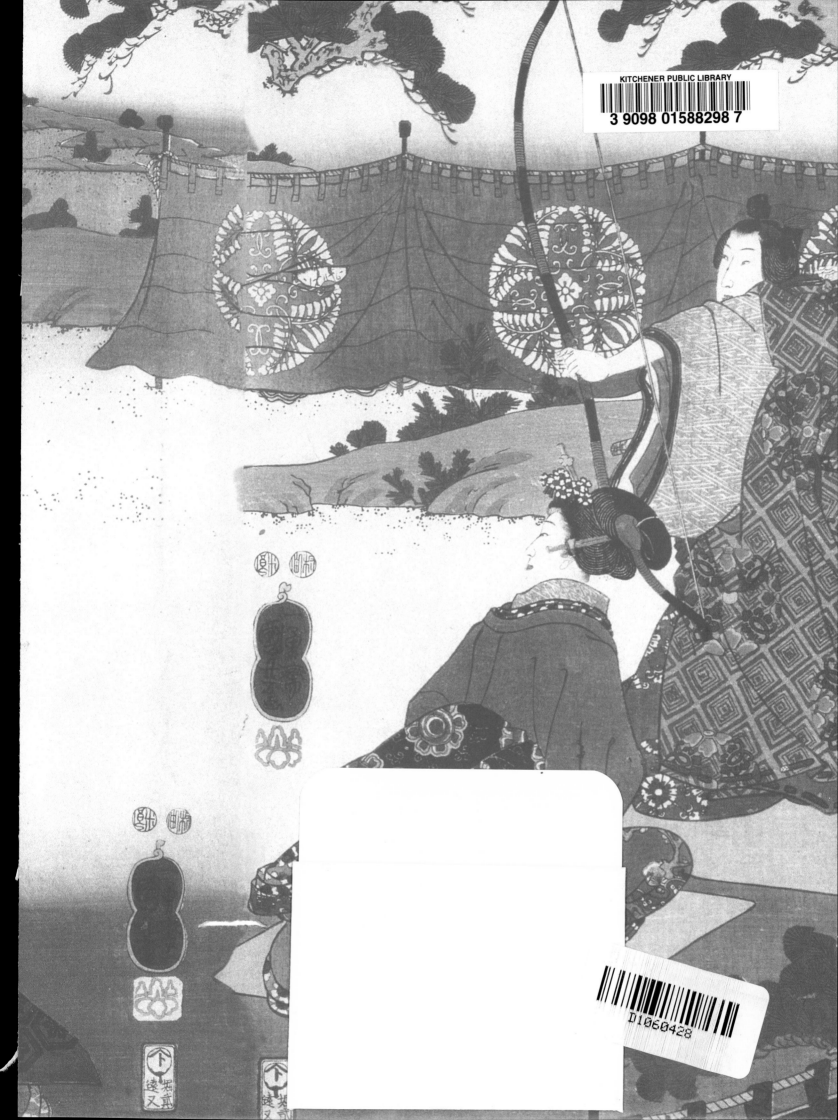

Vivre Comme ...

LES
JAPONAIS

Fiona Macdonald

De La Martinière
jeunesse

Traduction et adaptation
Édith Ochs et Bernard Nantet

Édition originale publiée en 1999
par Lorenz Books
© Anness Publishing 1999

Pour l'édition française :
© 2000, De La Martinière Jeunesse
(Paris, France)
Dépôt légal : avril 2000
ISBN : 2-7324-2607-5
Imprimé à Singapour

SOMMAIRE

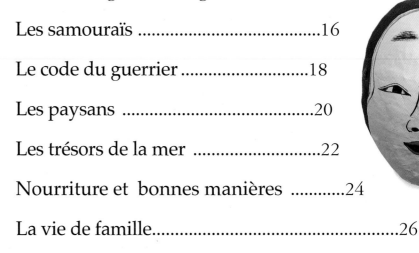

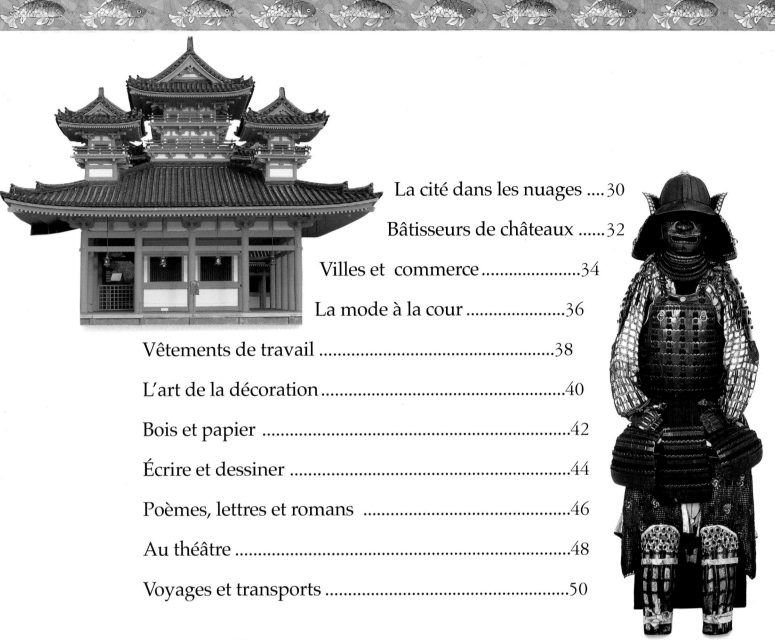

LE PAYS DU SOLEIL-LEVANT

Imagine-toi trente-deux mille ans en arrière quand les premiers habitants atteignirent le Japon, un archipel situé entre le continent asiatique et l'océan Pacifique. Ces nouveaux venus trouvèrent un paysage varié de falaises déchiquetées et de volcans. Au cours des siècles, une civilisation se développa, façonnée par cet environnement rude. Les Japonais sont devenus des experts de la survie en milieu difficile.

Les empereurs et les *shoguns*, les samouraïs querelleurs et les fermiers ont tous tenu un rôle dans l'histoire de ces îles. De nombreux châteaux, des temples, inventions et œuvres d'art nous sont parvenus pour nous raconter la vie de ces Japonais de l'ancien temps.

POTERIE ANCIENNE

Ce vase en argile a été réalisé par des artisans jomons vers 3000 av. J.-C. Les Jomons ont fait partie des premiers habitants du Japon. Ils ont sans doute été les premiers au monde à découvrir comment cuire l'argile dans le feu pour faire des poteries durables.

PREMIERS SÉDENTAIRES

Les Aïnous vivent à l'extrémité septentrionale du pays. Ils ne ressemblent pas du tout aux autres peuples du Japon et parlent une langue différente. Les historiens pensent que les Aïnous descendent des premiers habitants venus de Sibérie.

CHRONOLOGIE 30 000 AV. J.-C. - 550 APR. J.-C.

Les îles japonaises ont été habitées à partir d'environ 30 000 av. J.-C. Pendant longtemps, le Japon est resté isolé du monde extérieur. Cet isolement n'a pris fin qu'en 1854.

Vers 30 000 av. J.-C. Les premiers habitants du Japon arrivent du continent asiatique par un pont.

Vers 20 000 av. J.-C. Le niveau de la mer s'élève et les îles japonaises sont coupées du reste du monde.

Poterie ancienne

Vers 10 000 av. J.-C. La période Jomon commence. Les Jomons sont des chasseurs-pêcheurs-cueilleurs qui vivent principalement sur les côtes.

Vers 3000-2000 av. J.-C. Les populations de culture jomon progressent vers l'intérieur des terres. Les premières cultures apparaissent.

Vers 2000-300 av. J.-C. Les Jomons mettent au point de nouvelles techniques de pêche en mer.

Champ de riz

Vers 300 av. J.-C. Début de la période Yayoi. Des immigrants venus du Sud-Est asiatique et de Corée arrivent au Japon en apportant la culture du riz irrigué, la métallurgie et le tissage. La société japonaise faite de chasseurs-cueilleurs itinérants se transforme. Des communautés de fermiers s'établissent en villages.

Cloche Yayoi

30 000 av. J.-C.   10 000 av. J.-C.   500 av. J.-C.   300 apr. J.-C

DAIMYO ET SAMOURAÏ

Un samouraï est représenté sur cette gravure sur bois lors d'un combat mortel. Les *daimyo* (seigneurs provinciaux) et les samouraïs (guerriers professionnels) ont joué un rôle important dans l'histoire du Japon. Les daimyo contrôlaient de larges régions du pays. Les samouraïs les aidaient à conserver le contrôle de leurs terres et combattaient les seigneurs rivaux.

DES CHÂTEAUX SPLENDIDES

Aux XVIᵉ et XVIIᵉ siècles, les artisans japonais ont bâti de magnifiques châteaux. Celui-ci, à Matsumoto, a été achevé en 1594-1597. À l'origine, les châteaux étaient bâtis pour se défendre contre des adversaires, mais, plus tard, ils sont devenus les emblèmes d'un statut social. Ils symbolisaient le pouvoir et la fortune du propriétaire.

CHINE

Mer d'Okhotsk

RUSSIE

HOKKAIDO

CORÉE DU NORD

JAPON

Mer du Japon

HONSHU

CORÉE DU SUD

N

SHIKOKU

KYUSHU

Océan Pacifique

LES ÎLES DU JAPON

Les quatre îles principales du Japon s'étendent sous différentes zones climatiques, allant du Nord-Est froid au Sud-Ouest semi-tropical. Dans le passé, chaque île avait son propre caractère. Par exemple, on disait que les gens du Nord étaient rudes et patients, ceux du Centre étaient connus pour préférer la gloire et l'honneur à l'argent, alors que ceux du Sud passaient pour les meilleurs combattants.

Vers 300 apr. J.-C. Commencement de la période Kofun (grandes sépultures). Une nouvelle culture voit le jour. On invente de nouvelles techniques pour travailler le bronze et le fer. Plusieurs petits royaumes surgissent dans différentes régions. Leurs dirigeants construisent d'énormes tombeaux en forme de monticule.

Tombe royale

花刺蟲飛

Écriture chinoise

Vers 400 apr. J.-C. L'écriture chinoise parvient au Japon. Elle est apportée par des érudits et des moines bouddhistes venus de Chine pour travailler chez les empereurs du Japon.

Vers 500 apr. J.-C. Début de la période Yamato. Les rois de la région de Yamato prennent progressivement le pouvoir dans de grandes régions en s'alliant avec des chefs locaux. Les dirigeants Yamato prétendent détenir un pouvoir spirituel en tant que descendants d'Amaterasu, la déesse du Soleil. Se donnant le nom d'empereurs, ils se dotent d'une cour puissante, nomment des fonctionnaires et accordent des titres de noblesse.

Mont Fuji

400

500

550

LES ÎLES ORIENTALES

Le Japon comprend quatre îles principales – Kyushu, Shikoku, Honshu et Hokkaido – et près de quatre mille îles, plus petites, à proximité des côtes. D'après la légende, ces îles sont nées des larmes d'une déesse tombées dans la mer. Les premiers colons arrivèrent sur ces îles 30 000 ans av. J.-C. environ, et, en 10 000 av. J.-C., une civilisation de chasseurs-cueilleurs appelés Jomons apparut. Au début, les Jomons vivaient près de la mer et se nourrissaient de coquillages et de viandes issues de la chasse. Plus tard, ils se sont avancés vers l'intérieur et ont commencé à cultiver la terre. À partir de 300 av. J.-C., des émigrants venus de Corée apportèrent de nouvelles techniques, comme la culture du riz et la métallurgie. Vers 300 apr. J.-C., les gens se groupèrent en villages et finirent par tomber sous la coupe de seigneurs locaux. Au début du VIᵉ siècle, les seigneurs du centre du Japon étendirent leur domination. Ils réclamèrent le droit de diriger le pays, d'être honorés comme empereurs et bâtirent de nouvelles cités pour eux et pour leur cour. En 1185, la direction du pays se trouvait aux mains des shoguns (chefs militaires). Il y eut d'âpres guerres civiles quand les seigneurs de la guerre rivalisèrent pour devenir shoguns. En 1600, ces guerres s'achevèrent quand Tokugawa Ieyasu devint shogun. Pendant deux cent cinquante ans, les shoguns descendirent de la famille Tokugawa. Cette famille conserva le pouvoir jusqu'en 1868, quand l'empereur Meiji retrouva son pouvoir.

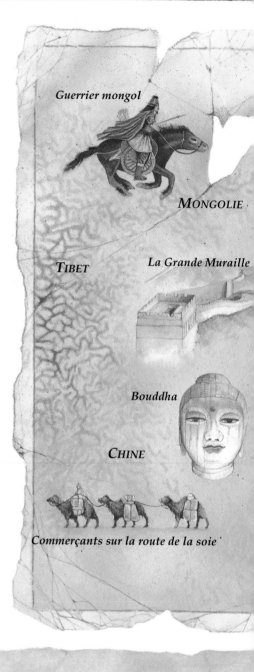

Guerrier mongol

MONGOLIE

TIBET

La Grande Muraille

Bouddha

CHINE

Commerçants sur la route de la soie

CHRONOLOGIE 550 - 1200

552 Le bouddhisme arrive au Japon à partir de la Chine et de la Corée.

585-587 L'empereur Yomei adopte le bouddhisme. Les empereurs suivants restent fidèles à cette foi.

646 L'empereur Kotoku établit de nouvelles lois qui renforcent le pouvoir royal.

Bouddha

701 Le code de l'ère Taiho rassemble de nombreuses lois et établit un nouveau système de gouvernement.

710 Début de la période de Nara. Une nouvelle capitale est construite à Nara.

712-720 Premières chroniques historiques du Japon, le *Kojiki* (Livre des événements anciens) et le *Nihon Shoki* (Annales du Japon) sont achevés.

724-749 Règne de l'empereur Shomu.

Palais de Kyoto

794 Fin de la période de Nara. La période de Heian commence.

794 L'empereur Kammu s'établit dans une nouvelle capitale à Heiankyo (Kyoto actuel).

Vers 800 Le clan des Fujiwara commence à contrôler le gouvernement.

Vers 800 La culture japonaise remplace la culture chinoise à la cour de l'empereur.

Vase chinois

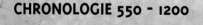

550   650   750   850

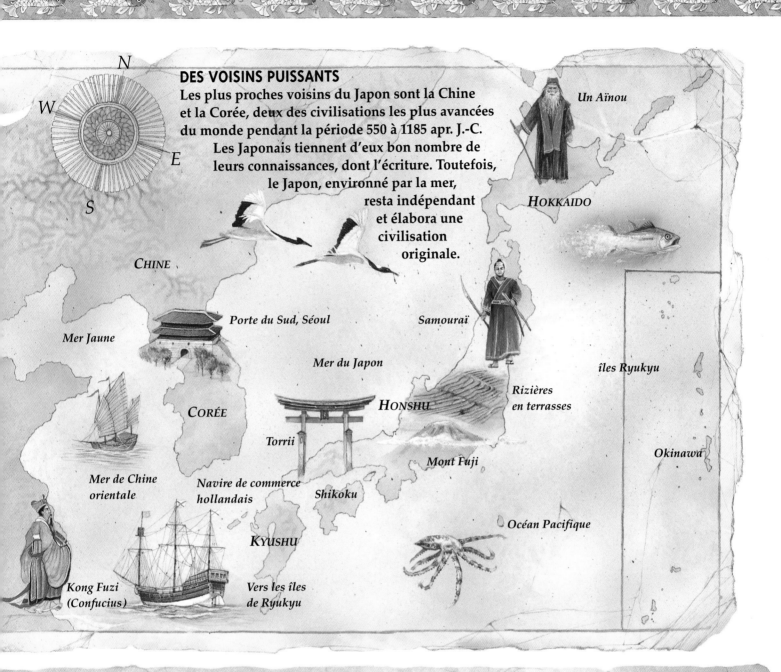

DES VOISINS PUISSANTS

Les plus proches voisins du Japon sont la Chine et la Corée, deux des civilisations les plus avancées du monde pendant la période 550 à 1185 apr. J.-C. Les Japonais tiennent d'eux bon nombre de leurs connaissances, dont l'écriture. Toutefois, le Japon, environné par la mer, resta indépendant et élabora une civilisation originale.

N
W
E
S

Un Aïnou

HOKKAIDO

CHINE

Porte du Sud, Séoul

Mer Jaune

Samouraï

Mer du Japon

îles Ryukyu

CORÉE

HONSHU

Rizières en terrasses

Torrii

Mont Fuji

Okinawa

Mer de Chine orientale

Navire de commerce hollandais

Shikoku

Océan Pacifique

KYUSHU

Kong Fuzi (Confucius)

Vers les îles de Ryukyu

894 Rupture des liens avec la Chine.

Vers 900 L'invention d'une nouvelle écriture amène le développement de diverses sortes de littérature (recueils de poésie, journaux, carnets, romans...). Plusieurs beaux spécimens sont écrits par des femmes riches, issues de la cour impériale.

Vers 965 Naissance de Sei Shonagon. Sei Shonagon est une courtisane admirée pour son savoir et pour ses commentaires spirituels. Son journal est devenu célèbre.

Vers 1000 *Genji monogatari (le Roman de Genji)*, écrit par Murasaki Shikibu, une dame de la cour, est achevé. C'est une histoire d'amour, de politique et d'intrigues à la cour de Heian. *Le Roman de Genji* est l'un des plus beaux récits du monde. Murasaki était la fille d'un noble puissant. Elle a commencé à écrire après la mort de son mari.

Murasaki

1159 La guerre civile de Heiji éclate entre deux clans puissants, les Taira et les Minamoto. Les Taira sont vainqueurs.

1185 Les empereurs perdent le pouvoir en province au profit de seigneurs de la guerre. La famille Minamoto, conduite par Minamoto Yoritomo, défait les Taira. Ils établissent un gouvernement rival à Kamakura. Yoritomo prend le titre de shogun.

Minamoto Yoritomo

1000

1100

1200

PUISSANTS ET CÉLÈBRES

L'histoire du Japon ancien narre les exploits de héros célèbres, d'empereurs puissants et de guerriers intrépides. Les hommes et les femmes qui s'étaient imposés par leur réussite dans les domaines du savoir, de la religion et des arts étaient également tenus en haute estime. Dans l'ancienne société japonaise, les traditions royales, l'honneur, la compétence et la bravoure au combat étaient importants, de même que l'étude. Ces principes comptaient beaucoup plus que le fait d'accumuler des richesses ou d'inventer quelque chose. Les commerçants faisaient partie de la plus basse classe sociale.

Toutefois, durant la période des Tokugawa (1616-1868), beaucoup acquirent la puissance financière. Les fermiers menaient une vie bien laborieuse.

LE PRINCE YAMATO

On raconte beaucoup d'histoires sur les aventures de ce héros légendaire. Le prince Yamato n'a probablement jamais existé, mais il est important parce qu'il symbolise le pouvoir des premiers empereurs du Japon, originaires de la région de Yamato.

L'IMPÉRATRICE JINGU

Elle régna vers l'an 200. D'après les légendes japonaises, l'impératrice (Kogo) Jingu a régné au nom de son fils. De nombreuses légendes parlent de ses talents de magicienne, telle son aptitude à maîtriser les vagues et la marée.

CHRONOLOGIE 1200 -1868

Vers 1200 Le commerce progresse et un nouveau système monétaire se développe. Le bouddhisme zen devient populaire, surtout parmi les samouraïs.

1274-1281 Les Mongols tentent une invasion, mais sont repoussés par les tempêtes.

Samouraï

1331-1333 L'empereur Godaigo essaie de reconquérir le pouvoir royal. Il échoue, mais déclenche une rébellion contre le shogun.

1336 Ashikaga Takauji prend le pouvoir et installe l'empereur Komyo. Les échanges avec la Chine reprennent.

1338 Ashikaga Takauji prend le titre de shogun. Début de la période de Muromachi.

Épées de samouraï

1467-1477 La guerre d'Onin – une guerre civile entre nobles et gouverneurs de provinces. Le pouvoir du shogun s'effondre. D'autres guerres civiles suivent jusque dans les années 1590. De nouveaux daimyo conquièrent de vastes territoires.

1540 Les premiers commerçants et missionnaires européens arrivent au Japon. Les commerçants sont à la recherche d'épices et de soieries tandis que les missionnaires diffusent la foi chrétienne.

Marin portugais

1200   1300   1400   1500

TOYOTOMI HIDEYOSHI (1536-1598)
Hideyoshi était un célèbre chef de guerre. Avec deux autres grands seigneurs de la guerre, Oda Nobunaga et Tokugawa Ieyasu, il participa à l'unification du Japon en 1590 après des années de guerre civile. Pour imposer la paix, Hideyoshi interdit le port de l'épée à quiconque, sauf aux samouraïs.

MURASAKI SHIKIBU (VERS 978-1014)
Elle a passé une longue période de sa vie à la cour. Elle faisait partie de la suite de l'impératrice Akiko. Son livre, *le Roman de Genji*, raconte, dans un style poétique, la vie et les amours de Genji, un prince japonais.

L'EMPEREUR MEIJI (1852-1912)
Cette peinture représente la famille impériale Meiji. Le règne de l'empereur commence en 1867. Le pouvoir des shoguns prit fin l'année suivante quand les nobles (daimyo) organisèrent leur chute. Puis les nobles firent de l'empereur un homme de paille.

Vers 1500 De splendides châteaux sont construits et meublés par les seigneurs de la guerre.

1573 La période Momoyama commence.

1590 Fin des guerres civiles.

Château d'Himeji

1600 Fin de la période Momoyama et commencement de la période des Tokugawa.

1603 Tokugawa Ieyasu devient shogun et dirige tout le Japon. Des shoguns de la dynastie Tokugawa gouverneront pendant deux cent soixante-sept ans. Edo (Tokyo actuel) devient la capitale.

1603 Une longue période de paix commence. Des villes et le commerce prennent leur essor.

Acteur kabuki

1853, 1854 Les États-Unis envoient des navires pour réclamer le droit de faire des échanges avec le Japon.

1868 Fin de la période des Tokugawa. Les shoguns Tokugawa perdent leur pouvoir. L'empereur Meiji entreprend un programme de modernisation.

« Bateaux noirs » du commodore Perry

1600

1800

9

LES EMPEREURS À L'ÉGAL DES DIEUX

Les Japonais ont commencé à se grouper en villages vers 300 av. J.-C. Au cours des six siècles suivants, les plus riches et les plus puissants de ces villages devinrent de petits royaumes, dominant les terres environnantes. Au début du IVe siècle de notre ère, un royaume établi dans la plaine de Yamato, au sud du Japon central, devint plus fort que les autres. Il était gouverné par les chefs d'un *uji* (clan), qui prétendaient descendre de la déesse du Soleil. Les chefs de ce clan n'étaient pas seulement des militaires, ils étaient aussi prêtres, gouverneurs, juristes et contrôleurs des biens et des récoltes. Leurs pouvoirs s'accrurent. Vers l'an 500, les chefs du clan du Soleil régnaient sur la plus grande partie du Japon. Ils se proclamèrent empereurs et se firent servir par des chefs moins importants, qui reçurent des titres de noblesse. Chaque empereur choisissait son successeur dans son clan et lui transmettait les symboles sacrés du pouvoir impérial : un bijou, un miroir et une épée. Parfois, si le successeur mâle était encore trop jeune, une impératrice assurait pendant un temps la régence.

Les descendants de ces premiers empereurs dirigent encore le Japon. Toutefois, ils ont un pouvoir très restreint. Certains empereurs ont joué un rôle actif, mais d'autres sont restés à l'écart du monde. Aujourd'hui, l'empereur n'a plus qu'un rôle cérémoniel.

STATUETTE HANIWA
Entre 300 et 550, des figurines creuses en argile étaient placées sur le pourtour des tombes. Ces figurines de forme humaine ou animale s'appellent des Haniwa.

NARA
Sanctuaire dans l'ancienne cité de Nara. Autrefois appelé Heijokyo, Nara fut fondé par l'impératrice Gemmei (707-715) pour servir de capitale à sa cour. La cité, d'inspiration chinoise, était quadrillée de rues. Le palais impérial se trouvait à l'extrémité nord.

HISTOIRES FANTASTIQUES

Le prince Shotoku (574-622) descendait de la famille impériale et d'un autre clan puissant, celui des Soga. Il ne devint jamais empereur, mais fut pendant trente ans le régent de l'impératrice Suiko. Des histoires fantastiques circulent sur lui. On dit, par exemple, qu'il fut capable de parler dès sa naissance. On raconte aussi qu'il pouvait prédire l'avenir. Ses vrais mérites ne sont pas négligeables, tels l'introduction d'un nouveau calendrier et une réforme du gouvernement, inspirés des Chinois. Il était aussi un adepte du bouddhisme, venu de Chine.

LA PLUS GRANDE STRUCTURE EN BOIS

Le temple du Grand Bouddha, à Nara, a été fondé sur les ordres de l'empereur Shomu en 745. La construction serait le plus grand ensemble en bois du monde. Également destinée à exhiber la richesse et la puissance de l'empereur, elle abrite une statue en bronze du Bouddha mesurant 16 m de haut et pesant 500 tonnes. Dans l'enceinte du temple du Grand Bouddha, un musée a été construit en 756 pour recevoir le *trésor* de Shomu et de l'impératrice Komyo, sa femme. L'endroit contient toujours des objets précieux.

TERTRE FUNÉRAIRE

Les empereurs Yamato sont ensevelis dans d'énormes tombeaux en forme de tumuli entourés de lacs. Le plus grand, construit pour l'empereur Nintoku, mesure 480 m de long. À l'intérieur sont enterrés de multiples trésors.

LA DÉESSE DU SOLEIL

Sur cette gravure, la déesse du Soleil Amaterasu Omikami émerge de la Terre. Elle est vénérée et redoutée par les fermiers. L'empereur servait de lien entre la déesse et ses sujets ; il sollicitait son aide en leur nom. Le principal lieu de pèlerinage se trouvait à Ise, dans le centre du Japon. Certaines constructions ressemblaient à des greniers à grains, rappelant que le Soleil a le pouvoir de donner une bonne ou une mauvaise récolte.

Nobles et courtisans

BUGAKU
Un interprète du *bugaku* fait un geste lent, majestueux. Le bugaku est une sorte de danse, populaire à la cour de l'empereur il y a plus de mille ans. Elle est toujours exécutée aujourd'hui.

D ans l'ancien Japon, tout le monde devait se montrer loyal envers l'empereur. Toutefois, beaucoup de nobles ne respectaient pas les ordres de l'empereur – surtout quand ils étaient loin de la cour. Il y avait des complots et des intrigues. Les nobles rivalisaient pour influencer l'empereur et s'emparer eux-mêmes du pouvoir.

Les empereurs successifs promulguèrent des lois pour essayer de conserver la mainmise sur les nobles et sur les courtisans. Les lois les plus importantes furent introduites par le prince Shotoku (574-622) et le prince Nakanooe (626-671). Le prince Naka désigna ces lois du nom de *Taika* (Grand Changement). La réforme de Taika centralisa le gouvernement, sous l'autorité d'un grand conseil de l'État et avec l'aide d'un solide réseau de fonctionnaires pour contrôler les soixante-sept provinces.

LA POLITESSE

À la limite du champ de tir, un groupe de dames observe, derrière un écran, un concours de tir à l'arc.
Les courtisans devaient se plier à une étiquette rigide et les dames de la noblesse obéir à des règles strictes. Pour elles, montrer leur visage en public eût été impoli. Quand des hommes étaient présents, les femmes s'accroupissaient derrière un rideau ou cachaient leur visage derrière leurs larges manches ou leur éventail. Pour protéger leur visage pendant le voyage, elles se dissimulaient derrière des rideaux ou des panneaux coulissants aménagés dans les chars à bœufs.

LE JEU DES COQUILLAGES

Matériel : palourdes fraîches, bol d'eau, pinceau, peinture dorée, blanche, noire, rouge, verte, pot à eau.

1 Demande à un adulte de faire bouillir les palourdes. Laisse-les refroidir, puis retire la chair. Lave les coquillages et laisse-les sécher. Ensuite, peins-les en doré.

2 Sépare soigneusement les coquillages. Maintenant, peins un motif identique sur les deux parties du coquillage. Commence par peindre un visage rond et blanc.

3 Ajoute des traits au visage. Dans le passé, on peignait des images populaires, telles des scènes tirées du *Roman de Genji*, sur les coquillages.

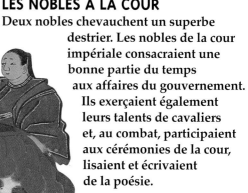

LES NOBLES À LA COUR

Deux nobles chevauchent un superbe destrier. Les nobles de la cour impériale consacraient une bonne partie du temps aux affaires du gouvernement. Ils exerçaient également leurs talents de cavaliers et, au combat, participaient aux cérémonies de la cour, lisaient et écrivaient de la poésie.

LE CLAN FUJIWARA

Fujiwara Teika (1162-1241) était un poète et un membre du clan Fujiwara. Cette famille influente prit le pouvoir à la cour en arrangeant le mariage de ses filles avec de jeunes princes et des empereurs. Entre 724 et 1900, cinquante-quatre des soixante-seize empereurs du Japon eurent une mère liée au clan Fujiwara.

LA COUR IMPÉRIALE

La vie à la cour était raffinée. Les bâtiments étaient exquis, disposés dans des jardins magnifiques. Les peintures s'inspirant des écrits des courtisans représentent les endroits célèbres qu'ils aimaient visiter.

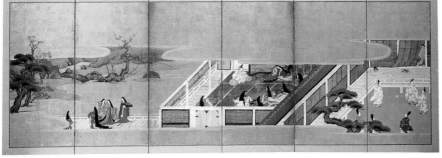

UN REGARD À L'INTÉRIEUR

Ce paravent montre des pièces à l'intérieur du palais de l'empereur et des groupes de courtisans se promenant dans les jardins, à l'extérieur. Les pièces sont divisées par des stores en soie, et les courtisans sont assis sur des nattes et des coussin.

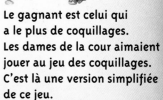

4 Peins divers motifs sur plusieurs coquillages. Chaque paire de coquillages doit porter un même dessin. Laisse sécher les palourdes.

5 Retourne tous les coquillages, face au sol et mélange-les. Retourne-en un et défie ton adversaire de trouver celui qui lui correspond.

6 Si les deux coquillages ne correspondent pas, retourne-les et recommence. S'ils correspondent, ton adversaire prend les coquillages. Chacun défie l'autre tour à tour.

Le gagnant est celui qui a le plus de coquillages. Les dames de la cour aimaient jouer au jeu des coquillages. C'est là une version simplifiée de ce jeu.

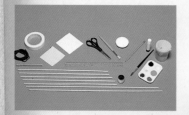

LES SHOGUNS ET LES GUERRES CIVILES

En 1159, une guerre civile sanglante, appelée la « guerre de Heiji », éclate entre deux clans puissants, les Taira et les Minamoto. Les Taira ayant gagné la guerre, ils dirigèrent le pays pendant vingt-six ans. Toutefois, les Minamoto se soulevèrent de nouveau et réunirent leurs forces pour l'emporter en 1185.

Yoritomo, chef du clan Minamoto, devint l'homme le plus puissant du Japon et établit un nouveau quartier général dans la cité de Kamakura. L'empereur resta à la tête du gouvernement à Kyoto, mais il était privé de tout pouvoir et ne pouvait gouverner. Pendant une très longue période, près de sept cents ans, jusqu'en 1868, des chefs militaires tel Yoritomo furent les véritables dirigeants du Japon. Ils portaient le titre de *sei i taishogun*, une expression militaire qui veut dire « le grand général qui soumet les Barbares ».

SHOGUN POUR LA VIE
Minamoto Yoritomo fut le premier à prendre le titre de shogun, qu'il transmit à ses fils. En fait, le titre ne resta pas longtemps dans la famille parce que celle-ci s'éteignit en 1219. Mais d'autres familles de shoguns prirent sa place.

AU FEU ! AU FEU !
Ce rouleau peint représente la fin d'un siège pendant la guerre de Heiji. Celle-ci opposa deux clans puissants, les Taira et les Minamoto. Les armées rivales mettaient le feu aux maisons avec des flèches enflammées et tuaient les habitants qui prenaient la fuite.

UN CERF-VOLANT

Matériel : carton de format A1, règle, crayon, baguettes pointues aux deux bouts (5 cm x 50 cm, 2 cm x 70 cm) ; papier cache, ciseaux, colle, brosse, fil, pinceau, peintures, eau, papier (52 cm x 52 cm), ficelle, bambou.

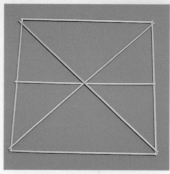

1 Dessine un carré de 50 cm sur un carton avec un trait au milieu. Dispose les baguettes sur le carré. Colle-les les unes aux autres par le bout et mets du papier collant.

2 Quand la colle a séché, retire le papier cache. Enlève le cadre du carton. Attache les coins du cadre avec un fil solide.

3 Dispose les deux baguettes plus longues de manière qu'elles se croisent au milieu du carré. Colle, puis attache les coins avec un fil solide.

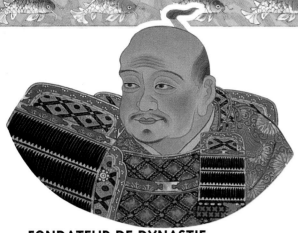

DERNIÈRE DEMEURE

Ce mausolée (tombeau) a été construit à Nikko, au nord du centre du Japon.
Il était destiné à recevoir le corps de Tokugawa Ieyasu, un grand shogun. Trois fois par an, les descendants d'Ieyasu se rendaient à Nikko pour lui rendre hommage.

FONDATEUR DE DYNASTIE

Tokugawa Ieyasu (1542-1616) était un noble du Japon oriental. Il fut l'un des trois grands seigneurs de la guerre qui mirent fin à la guerre civile et unifièrent le Japon. En 1603, il remporta la bataille de Sekigahara et devint shogun. Sa famille, les Tokugawa, dirigea le Japon pendant deux cent soixante-sept ans.

SOUS L'ATTAQUE

Ce détail peint sur un paravent montre la vie au château de Nijo, à Kyoto.
Il appartenait à une famille de shoguns, les Tokugawa. Les grands shoguns se construisaient de beaux châteaux, qui leur tenaient lieu de centre de gouvernement ou de forteresse en temps de guerre. Le château de Nijo, l'un des plus beaux bâtiments du Japon, avait des sols qui grinçaient quand un intrus s'aventurait dans le château, ce qui donnait l'alarme. Le bruit ressemblait à un cri de rossignol.

Les cerfs-volants pouvaient servir à donner un signal en temps de guerre. Depuis plus de mille ans, les Japonais aiment s'amuser avec des cerfs-volants.

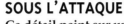

4 Peins un beau motif de couleur vive sur le papier. Mieux vaut coller avec du papier cache les bords du papier pour le maintenir en place.

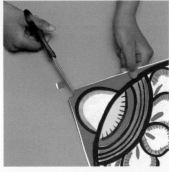

5 Fais un petit trait au crayon à 1 cm des quatre coins. Découpe très soigneusement les coins du papier, comme ci-dessus.

6 Colle le papier en mettant de la colle tout le long du cadre et en repliant le bord du papier sur le bois. Laisse sécher.

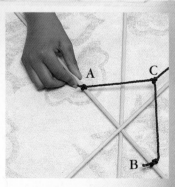

7 Attache un petit morceau de ficelle au centre du cadre (de A à B). Noue au milieu une longue ficelle de cerf-volant comme ci-dessus (C). Enroule la ficelle sur le bambou.

LES SAMOURAÏS

E
ntre 1185 et 1600, il y eut beaucoup de guerres, les nobles (appelés « daimyo ») se battant entre eux pour devenir shoguns. Certains empereurs essayèrent aussi, en vain, de rétablir leur autorité. Durant ces époques troublées de l'histoire japonaise, les empereurs, les shoguns et les daimyo avaient recours à des armées de samouraïs (guerriers) expérimentés. Les samouraïs descendaient de familles nobles et ils avaient l'expérience du combat. Les membres de chaque groupe de samouraïs étaient liés par un serment solennel qu'ils faisaient au seigneur. Leur sens de l'honneur était garant de leur loyauté – et le seigneur leur offrait de riches récompenses. Les guerres civiles prirent fin au début du XVIIe siècle, quand la dynastie des shoguns Tokugawa prit le pouvoir. Dès lors, les samouraïs passèrent moins de temps à se battre. Ils prirent en charge l'administration des biens de leur seigneur.

DÉPART POUR LA GUERRE

Peint en 1772, ce chef samouraï est armé de pied en cap. Le cheval devait être rapide, agile et assez robuste pour transporter le poids d'un samouraï avec son armure et ses armes.

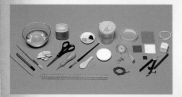

TACHI

L'épée était l'une des armes préférées du samouraï. Celle-ci, très longue, est un *tachi*. Datant du début du XVIe siècle, elle était destinée à des fins cérémonielles.

CASQUE EN MÉTAL

Les casques de samouraïs comme celui-ci étaient faits de plaques de métal recourbées et décorés de motifs très élaborés. Les parties proéminentes protégeaient le visage et la nuque. Ce casque date d'environ 1380.

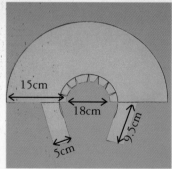

CASQUE DE SAMOURAÏ

Matériel : carton, épingle, ficelle, stylo-feutre, règle, ciseaux, mètre ruban, journal, eau, colle PVA, ballon gonflable, vaseline, crayon, pâte à modeler, poinçon, papier, carton doré, peintures, pinceau, brosse pour colle, papier cache, agrafes parisiennes, deux cordons de 20 cm.

1 Trace sur le carton un cercle de 18 cm de diamètre en prenant l'épingle, la ficelle et le stylo-feutre. De la même façon, trace un cercle de 20 cm et un de 50 cm.

2 Trace une ligne au centre des trois cercles en utilisant la règle et le stylo-feutre. Dessine des rectangles dans le demi-cercle du milieu. Ajoute deux rabats comme ci-dessus.

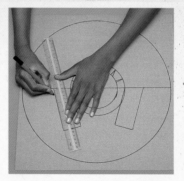

3 Découpe la partie pour protéger la nuque, comme ci-dessus. Découpe soigneusement les attaches et les rabats.

15 cm
18 cm
9,5 cm
5 cm

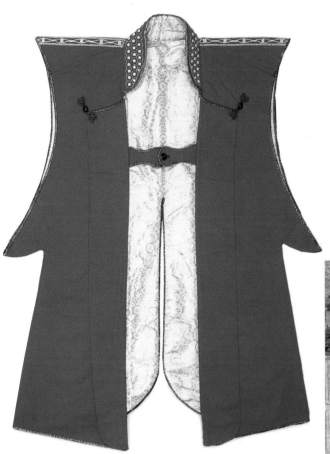

DE PIED EN CAP

Cette belle armure de samouraï date de la période des Tokugawa (1616-1868). L'armure pouvait sauver la vie du samouraï au combat. Les guerriers de haut rang portaient des armures en plaques de fer, lacées ou clouées et associées à des panneaux en cotte de maille ou de cuir. Les simples soldats, ou *ashigaru*, portaient une armure plus fine et plus légère, faite de petites plaques de métal. L'armure des samouraïs pouvait peser 18 kg.

SURCOT DE CÉRÉMONIE

Pour les célébrations, cérémonies et défilés, le samouraï portait un surcot (longue tunique ample) par-dessus son armure. Le surcot était de fine soie brillante, dans de riches couleurs. Celui-ci date de la période des Tokugawa (1616-1868). Les surcots étaient souvent décorés d'armoiries familiales qui, à l'origine, servaient à reconnaître les soldats pendant la bataille. Ils devinrent plus tard le signe d'appartenance à un rang élevé.

FAIRE DES ARCS

Au début du XVIᵉ siècle, des artisans japonais fabriquent des arcs. C'est l'arme la plus ancienne du guerrier japonais. Les arcs, en bois et en bambou, lancent différentes sortes de flèches.

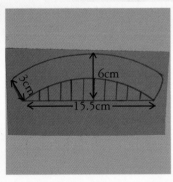

4 Dessine la visière dans un autre morceau de carton. Suis les mesures indiquées sur le dessin. Découpe la visière.

5 Pour faire du papier mâché, déchire du papier journal en petites bandes. Remplis un bol d'une dose de colle PVA pour trois doses d'eau. Mets les bandes de papier.

6 Gonfle le ballon pour qu'il fasse la grosseur de ta tête. Enduis de vaseline. Pose trois couches de papier mâché en haut et sur les côtés. Laisse sécher entre les couches.

7 Quand c'est sec, fais éclater le ballon et découpe. Fais-toi faire une marque de chaque côté de la tête. **Les indications se poursuivent page suivante...**

LE CODE DU GUERRIER

L e samouraï était un guerrier très entraîné qui consacrait sa vie à se battre pour son seigneur. Toutefois, il devait être plus qu'un bon guerrier. Le samouraï idéal était censé se plier à un code de conduite strict, qui portait sur tous les aspects de la vie. Ce code s'appelait le *bushido* : la façon de faire du guerrier. Le bushido exigeait compétence, discipline, bravoure, loyauté, honneur, honnêteté, obéissance et, certaines fois, le sacrifice de soi. Il enseignait qu'il était plus noble de mourir au combat que de fuir pour sauver sa vie.

Beaucoup de samouraïs suivaient les enseignements religieux du zen, une branche du bouddhisme. Le zen fut introduit au Japon aux XIIe et XIIIe siècles par deux moines, Eisai et Dogen, qui allèrent en Chine pour étudier et en rapportèrent les pratiques du zen. Les professeurs poussaient leurs fidèles à la méditation (pour se libérer l'esprit de toute pensée) afin de parvenir à la lumière.

LA FAMILLE TAKEDA

Le célèbre daimyo Takeda Shingen (1521-1573) tire une flèche à l'aide de son arc puissant. L'influente famille Takeda possédait des territoires dans la province de Kai, près de la ville d'Edo, et entretenait une grande armée de samouraïs. Takeda Shingen livra plusieurs guerres à son proche voisin, Uesugi Kenshin. Toutefois, en 1581, les Takeda furent battus par l'armée du général Nobunaga.

LE MANIEMENT DE L'ÉPÉE

Il fallait des années pour que les jeunes samouraïs apprennent à maîtriser l'art de l'escrime. Ils étaient formés par des maîtres de l'escrime. Les meilleures épées, en acier solide, souple, avaient même un nom.

8 Mets la pâte à modeler sous les marques au crayon. Fais deux trous au poinçon – l'un au-dessus, l'autre en dessous. Recommence de l'autre côté.

9 Plie une feuille de papier A4 et dessine une corne d'après le modèle ci-dessus. Découpe cette forme de manière à avoir une paire de cornes.

10 Prends une feuille de carton doré A4. Pose tes cornes en papier sur le carton doré et passe ton crayon autour. Découpe les cornes dans le carton.

11 Peins en marron le casque en papier mâché. Peins un motif de tissage sur le protège-nuque et des rectangles de couleur crème sur les rabats. Laisse sécher.

À LA GUERRE

Un samouraï (à cheval) et des fantassins partent à la guerre. Comme le samouraï devait commander et inspirer confiance, il était essentiel qu'il se conduise avec bravoure et qu'il montre l'exemple.

LES ARTS MARTIAUX

Les qualités des samouraïs sont à l'origine de plusieurs sports actuels. Dans l'*aïkido*, les participants tentent de déséquilibrer l'adversaire et de le renverser par terre. Dans le *kendo*, ils se battent avec de longues épées faites de bambou fendu. Ils marquent des points s'ils parviennent à toucher le corps de l'adversaire, sans le couper ni le poignarder.

Kendo   *Aïkido*

CAPACITÉS DE SURVIE

Le samouraï devait être capable de survivre en pleine nature. Chaque homme transportait des rations d'urgence de riz cru. Son adresse au combat lui servait pour chasser et se nourrir.

ZEN

Le moine bouddhiste Rinzai apparaît sur ce rouleau japonais illustré au pinceau et à l'encre. Le moine enseignait la philosophie du zen. Beaucoup d'élèves, dont des samouraïs, se rendaient dans son monastère isolé dans la montagne pour étudier avec lui.

Les casques des samouraïs étaient souvent décorés d'armoiries faites en bois laquées ou en métal. Celles-ci étaient montées au sommet du casque.

12 Recourbe les attaches de la visière. Place-la à l'avant du casque. Colle les attaches à l'intérieur avec de la colle. Maintiens avec du papier ruban.

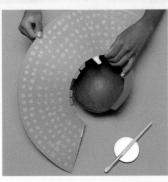

13 Prends la partie du protège-nuque. Déplie les rabats de devant et les attaches. Colle les attaches sur le casque, comme ci-dessus. Laisse sécher.

14 Colle les cornes à l'avant du casque. Renforce avec des agrafes, comme ci-dessus. Décore les rabats sur les oreilles à l'aide d'agrafes.

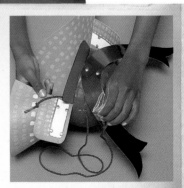

15 Enfile un cordon par un des trous faits en 8. Fais un nœud au bout. Passe l'autre bout de la ficelle par le deuxième trou. Fais un autre nœud. Fais la même chose de l'autre côté.

LES PAYSANS

J usqu'au début du XXᵉ siècle, la plupart des Japonais habitaient à la campagne et vivaient de la pêche ou de la culture de lopins de terre. Les fermiers pratiquaient l'agriculture pour plusieurs raisons. Ils cultivaient le riz pour le vendre aux samouraïs ou pour payer les impôts. L'orge, le millet, le blé et les légumes étaient réservés à leur propre alimentation. La société japonaise était divisée en quatre classes principales : les samouraïs, les fermiers, les artisans et les marchands. Les samouraïs étaient les plus respectés. Les fermiers et les artisans venaient après, parce que leurs productions étaient utiles. Les marchands occupaient le rang le plus bas, parce qu'ils ne produisaient rien d'utile pour la société.

Pendant la période des Tokugawa (1616-1868), la société a commencé à changer. Les villes et les cités ont grossi, les petites industries ont grandi et le commerce s'est développé. Les fermiers ont commencé à vendre leurs cultures à des gens qui n'avaient pas de terres. Pour la première fois, ils avaient de l'argent pour s'acheter des habits, des maisons et davantage de nourriture.

LES LUTTEURS
Le *sumo* est depuis longtemps un sport populaire au Japon. Il remonte à des rituels religieux et à des jeux qui se tenaient lors de fêtes agraires. Les lutteurs de sumo sont normalement très gros. Ils se servent de leur poids pour renverser l'adversaire.

LES RIZIÈRES
Repiquer de minuscules pousses de riz dans une eau boueuse était un travail pénible. La culture du riz est apparue au Japon trois cents ans avant notre ère. La plupart des variétés de riz ont besoin de pousser dans des terres inondées, appelées *tanbo* (rizières). Pour avoir un supplément alimentaire, les fermiers élevaient également des poissons dans les tanbo.

EN TERRASSES
Comme il était difficile de trouver suffisamment de plaines à cultiver, on a aménagé des terrasses, comme des marches, sur le flanc des collines. Les champs pouvaient être détruits par des tremblements de terre ou des inondations. Quand la récolte n'était pas bonne, il y avait souvent la famine.

LES ALIMENTS PRÉFÉRÉS

Le soja et le *daikon* (radis blanc) étaient
deux mets très appréciés au Japon. Les
Japonais avaient des méthodes qui permettaient
de conserver des aliments pendant des mois. Les
radis étaient recouverts de terre, et les graines de soja
étaient séchées pour apporter un complément
alimentaire pendant l'hiver. Les Japonais faisaient
pousser ces légumes dans de petits jardins.

Daikon (Radis)

Graines de soja

UNE VIE PÉNIBLE

Une paysanne transporte de lourds paniers de grains sur une
palanche. Malgré le respect qui entoure les fermiers, leur vie est
souvent très dure. Jusqu'à la fin du XIXᵉ siècle, ils devaient payer
de lourdes taxes à l'empereur ou au seigneur et n'avaient pas le
droit de quitter la terre de celui-ci. Il leur était également
interdit de porter des vêtements en soie et de boire du thé
ou même du *saké* (alcool de riz).

LE BATTAGE

Sur cette photographie
datant de la fin du XIXᵉ
siècle, des fermiers
japonais battent le blé.
Bien que cette photo soit
relativement récente,
la méthode a peu changé
au cours des siècles.
Le couple au premier plan
sépare le grain de la tige
au moyen d'une sorte de
fourche en bois aux dents
très rapprochées. Dans
le fond, une femme porte
une énorme botte de tiges
de blé, pendant que
l'homme attend avec un
râteau et un van. Le van
servait à séparer le grain
de son enveloppe (balle)
en le lançant en l'air.

LES TRÉSORS DE LA MER

Le Japon est un archipel, où peu de gens vivent loin de la mer. Depuis les temps anciens, les Japonais comptaient sur la mer pour se nourrir. Des fermes, des villages de pêcheurs et des cabanes pour sécher le poisson et les algues étaient bâtis tout du long de la côte déchiquetée. Des monceaux de coquilles d'huîtres et d'arêtes, jetés par les Jomons, vieux de dix mille ans, ont survécu. Les Japonais puisaient dans la mer toutes sortes de nourriture. Ils trouvaient des crabes, des crevettes et des berniques près du bord, ou partaient au large sur de petits bateaux pour pêcher thons, maquereaux, baleines et calmars. Les Japonais récoltaient des algues (qui contiennent des sels minéraux) et d'autres produits de la mer, comme des méduses et des concombres de mer. Au fond de l'eau, ils trouvaient des trésors comme des perles et des coraux, de grande valeur. Des plongeurs très entraînés, souvent des femmes, allaient chercher ces richesses en retenant leur souffle longtemps au péril de leur vie. La mer leur procurait le sel, qu'ils récoltaient en laissant s'évaporer l'eau de mer dans des cavités. Le sel servait à conserver le poisson et les légumes et on faisait des saumures de diverses sortes.

INSPIRÉS

Des créatures marines étranges et belles ont inspiré des œuvres d'art aux peintres et aux graveurs japonais. Cette peinture montre deux poissons plats et une variété de coquillages. Brèmes de mer et saumons se pêchaient facilement près des côtes. On les grillait ou on les conservait dans le sel ou séchés.

MERS DANGEREUSES

Les marins et leurs embarcations sont ballottés par le vent et les vagues d'une mer déchaînée. Cette scène est représentée sur un bois gravé d'Utagawa Kuniyoshi. Près des côtes escarpées du Japon, la tempête fait souvent rage. Le pêcheur mène une existence pleine de risques. La fin de l'été est la saison la plus dangereuse pour aller pêcher, parce que les vents de mousson venus du Pacifique provoquent de violents typhons. Ces tempêtes peuvent facilement faire sombrer un bateau.

FRUITS DE MER

Les produits de la mer ont toujours été importants au Japon. L'huître était ramassée pour ses perles et pour la consommation. La soupe aux huîtres est toujours un plat très apprécié dans le sud du pays. Les moules entrent dans la confection de divers plats. Les algues servaient à relever les plats. Aujourd'hui, elles servent aussi à enrouler les *maki sushi* (rouleaux de riz vinaigrés farcis de poisson et de légumes).

Huîtres

Algues

Moule

MÉTHODES DE PÊCHE

Pendant des siècles, les marins japonais n'ont utilisé que des lignes avec des hameçons et des appâts. Cela limitait le nombre de prises à chaque sortie en mer. Au XVIIᵉ siècle, ils ont commencé à utiliser des filets de pêche pour prendre de plus grosses prises.

LA NACRE

Ce coffret, datant du début du XVIᵉ siècle, est décoré de nacre, une matière ravissante qui recouvre l'intérieur de l'huître. Avec un grand savoir-faire, les artisans découpent et taillent de minuscules morceaux de nacre qui serviront à décorer des objets précieux.

LA COLLECTE DES HUÎTRES

Des groupes de collecteurs d'huîtres ramassent des coquillages sur le fond marin. Ici, hommes et femmes travaillent ensemble. Comme les huîtres sont lourdes, ils doivent être robustes pour rapporter les paniers pleins jusqu'au rivage.

RÉCOLTE DES COQUILLAGES

Datant du début du XIXᵉ siècle, cette image donne à penser que la récolte des coquillages était un plaisir. En fait, les mains et les pieds, étaient rapidement rendus rouges et à vif par l'eau salée.

NOURRITURE ET BONNES MANIÈRES

La cuisine japonaise a toujours été simple mais saine. Toutefois, pendant des siècles, la famine a été une crainte permanente, surtout parmi les pauvres. L'alimentation traditionnelle reposait principalement sur les céréales – riz, millet, blé ou orge – bouillies, cuites à la vapeur ou transformées en nouilles. Les aliments étaient souvent relevés par la sauce au soja, faite de graines de soja broyées et fermentées. Un autre produit nourrissant à base de soja était le *tofu* (pâte de soja), fait de graines de soja ramollies et écrasées dans l'eau. On forme des blocs avec la pâte que l'on laisse ensuite reposer. Le tofu a la texture d'un flanc et un goût peu relevé.

Les gens se nourrissaient selon leur niveau social. Seuls les riches pouvaient s'offrir du riz, de la viande ou les poissons les plus fins. Les pauvres mangeaient le produit de leur champ ou de leur pêche. Jusqu'au début du XXe siècle, les Japonais ne mangeaient ni viande rouge ni produits laitiers. Mais les fermiers produisaient une grande diversité de fruits, des poires, des baies et des oranges... Une petite orange douce tire son nom de la région de Satsuma, dans le sud du Japon.

LÉGUMES FRAIS
Un vendeur de légumes transporte ses produits au marché. Ses grands paniers sont accrochés à une palanche fixée sur son épaule. Cette photographie a été prise autour de 1900, mais aller chaque jour au marché pour vendre des légumes est une tradition qui remonte au début du XVIe siècle, époque où les gens vinrent habiter en ville.

ONIGIRI – BOULETTES DE RIZ

Matériel : 7 tasses de riz japonais, casserole, cuiller en bois, passoire, bols, 1 cuillerée de sel, planche à découper, 1 cuillerée de sésame noir, 1/2 feuille d'algue *yaki nori* (facultatif), couteau, concombre, plat pour servir.

1 Demande à un adulte de faire cuire le riz. Égoutte-le sans le rincer. Le riz doit rester gluant. Mets-le dans un bol et verse le sel dans un autre.

2 Humidifie tes paumes à l'eau froide. Plonge un doigt dans le sel et frotte-le contre tes paumes.

3 Place un huitième du riz dans une main. Avec les deux mains, forme un triangle. Presse doucement.

SAKÉ

Ce flacon de saké, fabriqué dans le style de la poterie de Bizen, a près de six cents ans. Le saké est un alcool de riz doux. Il était bu par les nobles et, dans les grandes occasions, par les gens ordinaires. Traditionnellement, il se servait tiède dans des flacons en céramique tel celui-ci et se buvait dans des tasses minuscules.

LE THÉ

Une servante offre une tasse de thé à un samouraï assis. Pour les Japonais, si pauvres fussent-ils, il était important d'offrir la nourriture avec élégance. Les bonnes manières étaient essentielles.

LES BAGUETTES

Les Japonais mangent avec des baguettes, traditionnellement en bambou. Mais, aujourd'hui, elles sont en des matériaux divers, tel le bois laqué. Dans le passé, les nobles avaient des baguettes en argent destinées, surtout, à montrer leur richesse. Toutefois, ils croyaient que l'argent permettait de détecter le poison que l'on aurait pu glisser dans leur nourriture. Ils pensaient qu'au contact du poison l'argent noircissait.

Baguettes ornées

Baguettes ordinaires

VAISSELLE

La cuisine était servie et mangée dans des bols et des assiettes en céramique. Contrairement à la vaisselle ronde que l'on trouve dans la plupart des pays, les artisans japonais fabriquaient une vaisselle de forme élégante.

Le riz a été introduit au Japon vers le Iᵉʳ siècle. Il est resté depuis lors un aliment de base. Sers ton repas japonais sur un joli plat et mange avec des baguettes.

4 Forme de la même façon d'autres boulettes de riz. Pose chaque boulette dans une main et saupoudre-la de sésame avec l'autre main.

5 Si tu en as, découpe une bande de yaki nori en quatre et enveloppe quelques-unes de tes boulettes. Pour servir tes onigiri, décore de rondelles de concombre.

LA VIE DE FAMILLE

On travaillait dans l'affaire familiale ou on cultivait les terres en famille. Les Japonais croyaient que la famille était plus importante que l'individu. Les membres de la famille étaient censés considérer d'abord le bien-être du groupe avant de penser aux besoins et aux projets de chacun. Parfois, cela conduisait à des querelles et à des déceptions. Par exemple, les frères cadets d'une famille pauvre se voyaient souvent refuser le droit de se marier pour que la terre soit transmise intégralement à l'aîné. Les filles quittaient le foyer pour se marier si un parti convenable se présentait. Sinon, elles restaient célibataires sous le toit de leurs parents.

La responsabilité de la famille passait de génération en génération, du père au fils aîné. Les Japonais respectaient l'âge et l'expérience, qui, croyait-on, apportaient la sagesse.

S'OCCUPER D'UN BÉBÉ

Les femmes devaient s'occuper des jeunes enfants. Cette peinture montre une jeune mère élégante d'une famille riche qui enfile à son fils un kimono (longue tunique à larges manches). Sous les yeux du chat, la bonne tient la ceinture.

TRAVAIL

Un petit garçon utilise une machine simple pour vanner le riz. (Le vannage sépare le grain de riz de ses enveloppes extérieures.) Les enfants des familles de paysans sont censés aider au travail dans la maison et à la ferme ainsi qu'aux champs.

CARPE EN PAPIER

Matériel : crayon, 2 feuilles de papier A1, stylo-feutre, ciseaux, peintures, pinceau, pot à eau, colle, fil de fer, papier cache, ficelle, tige de bois.

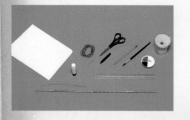

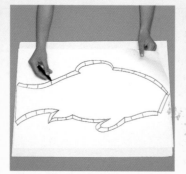

1 Prends le crayon et une feuille. Dessine la forme d'une grosse carpe. Quand ton dessin te plaît, repasse-le au stylo-feutre.

2 Pose la seconde feuille sur la première. Reproduis le dessin. Ensuite, dessine une bordure autour du second poisson et ajoute des attaches, comme ci-dessus.

3 Ajoute les écailles, les yeux, les nageoires et autres détails sur les deux poissons, comme ci-dessus. Découpe-les tous deux, sans oublier les attaches. Peins les poissons.

LE JEU

Ces jeunes garçons ont lancé deux toupies qui tournent côte à côte. Ils attendent de voir ce qui va se produire quand elles vont se rencontrer. Les petits Japonais ont toutes sortes de jouets. Le cerf-volant est un de leurs jouets préférés.

MÉDECINE TRADITIONNELLE

Depuis des siècles, le *kuzu* et le gingembre entrent dans la médecine traditionnelle. La plupart des remèdes sont obtenus à partir de végétaux. Le kuzu et le gingembre sont mélangés de différentes façons en fonction des symptômes de la maladie. Par exemple, il y a vingt préparations différentes pour soigner un rhume. On utilise généralement le gingembre quand le malade n'a pas de température.

Kuzu   *Gingembre*

HONORER LES ANCÊTRES

Le père, la mère et leur enfant font des offrandes et disent des prières près du petit autel familial dans leur maison. La bougie allumée et la lanterne en papier dirigent les esprits vers leur demeure. Les familles honorent leurs ancêtres défunts à l'occasion de fêtes spéciales. Lors de la fête d'Obon, en été, on célèbre les esprits de la famille qui sont retournés à la terre.

4 Mets les deux dessins l'un sur l'autre, les faces peintes à l'extérieur. Plie les attaches à l'intérieur et colle les bords ensemble, à part la queue et la bouche.

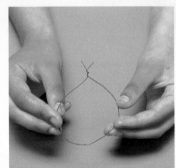

5 Prends du fil métallique ménager de la taille de la bouche. Attache les bouts ensemble et replie-les, puis entoure-les de papier cache.

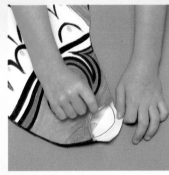

6 Mets l'anneau dans la bouche du poisson. Colle le bord de la bouche par-dessus l'anneau. Attache le bout de la ficelle à l'anneau et l'autre bout sur la baguette.

Les familles ont des banderoles en forme de carpe pour la Journée des garçons (cinquième jour du cinquième mois). On porte une carpe pour chaque fils. La carpe symbolise la force et la ténacité.

LA MAISON ET LE FOYER

Pour construire la maison, il fallait tenir compte d'un environnement difficile. On bâtissait des maisons légères à un étage en paille, en papier et en bois. Ces matériaux pouvaient se tordre et bouger en cas de tremblement de terre. Si elles s'effondraient ou étaient emportées par les inondations, elles risquaient moins de blesser ses habitants qu'une construction en pierre. Les maisons étaient conçues comme plusieurs pièces en forme de boîte. Une pièce suffisait pour la cabane d'un paysan, mais toute une série de pièces reliées entre elles formait un palais royal. L'espace intérieur était divisé par des paravents que l'on déplaçait selon les besoins. La plupart des maisons avaient des planchers en bois taillé surélevés à 50 cm du sol.

LAMPES

Cette lanterne en céramique, élégamment décorée, servait probablement pour l'extérieur. À l'intérieur, on s'éclairait à la bougie. Une bougie était posée sur un bougeoir dont les quatre faces étaient en papier. Le papier protégeait la flamme des courants d'air. Un côté se soulevait pour mettre ou pour retirer la bougie. Les incendies, provoqués par la cuisine ou par les bougies, étaient un risque permanent, d'autant que la plupart des maisons étaient en bois.

MAISON DE SOIE

Pour beaucoup de Japonais, la maison était aussi le lieu du travail. Nichée sous le toit en chaume de cette maison d'Eiyama, dans le centre du Japon, cette mansarde abrite un élevage de vers à soie.

UN PARAVENT

Matériel : papier doré (44 cm x 48 cm), ciseaux, carton épais (22 cm x 48 cm), ébauchoir, règle métallique, planche à découper, colle, règle, crayon, peintures, pinceau, pots à eau, ruban collant.

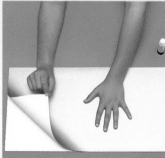

1 Coupe deux morceaux de papier doré (22 cm x 48 cm). Prends l'ébauchoir pour découper du carton de la même taille. Colle le papier doré sur les deux côtés du carton.

2 Avec ta règle et ton crayon, dessine six bandes égales dans la longueur du carton. Chaque panneau mesure 8 cm x 22 cm.

3 Retourne le carton. Peins un dessin traditionnel japonais, comme des iris. Quand tu as fini, laisse sécher.

PARAVENTS

Les paravents faits en bois et papier servaient de murs et de cloisons intérieures. On pouvait les repousser pour profiter de la vue sur le jardin et de la brise plutôt rafraîchissante durant l'été.

SUR LA VÉRANDA

Les maisons japonaises avaient souvent une véranda (une plate-forme ouverte) sous le large avant-toit. Elle permettait de prendre l'air et de profiter de la vue. Dans cette auberge, les clients se détendent après avoir pris un bain dans les sources chaudes naturelles.

UN MOBILIER PRÉCIEUX

L'intérieur d'une maison richement meublée est représenté sur cette gravure de 1857. Les meubles étaient souvent très simples. Toutefois, cette maison a une natte décorée et un tapis, un grand pied de lampe, une desserte noir et or et un paravent de couleur vive qui sépare la pièce. Il y a aussi un instrument de musique, un *koto*, avec treize cordes en soie.

4 Retourne le paravent pour avoir devant toi la partie vide. Avec les ciseaux ou l'ébauchoir, découpe chaque panneau en suivant les traits que tu as dessinés.

5 Avec du ruban collant, recolle les panneaux en laissant un petit espace entre eux. Le ruban jouera le rôle de charnières.

Les Japonais aiment décorer leurs maisons de dessins d'iris. Selon la tradition, les iris rappellent les amis absents.

LA CITÉ DANS LES NUAGES

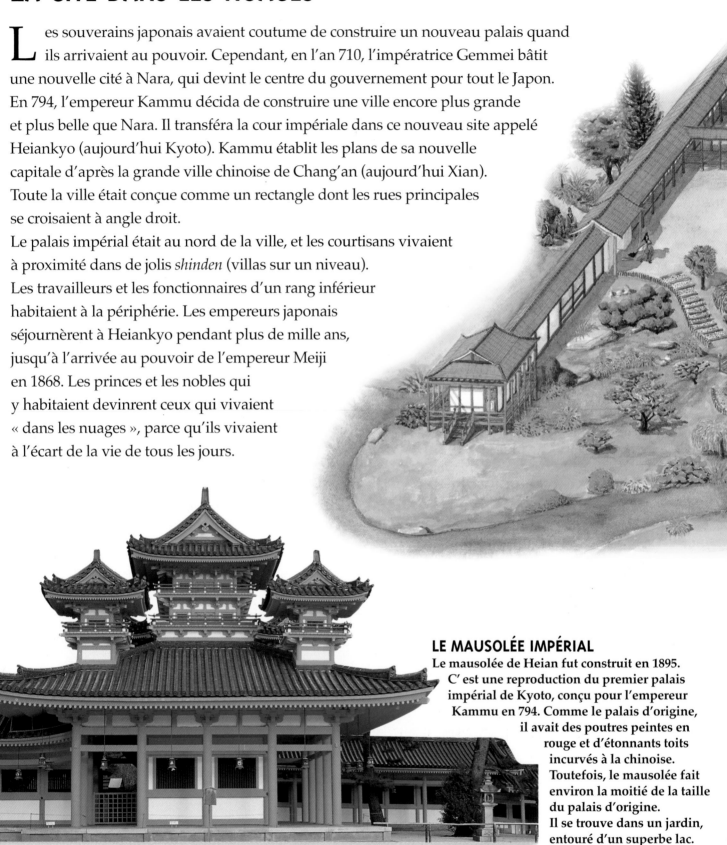

Les souverains japonais avaient coutume de construire un nouveau palais quand ils arrivaient au pouvoir. Cependant, en l'an 710, l'impératrice Gemmei bâtit une nouvelle cité à Nara, qui devint le centre du gouvernement pour tout le Japon. En 794, l'empereur Kammu décida de construire une ville encore plus grande et plus belle que Nara. Il transféra la cour impériale dans ce nouveau site appelé Heiankyo (aujourd'hui Kyoto). Kammu établit les plans de sa nouvelle capitale d'après la grande ville chinoise de Chang'an (aujourd'hui Xian). Toute la ville était conçue comme un rectangle dont les rues principales se croisaient à angle droit.

Le palais impérial était au nord de la ville, et les courtisans vivaient à proximité dans de jolis *shinden* (villas sur un niveau). Les travailleurs et les fonctionnaires d'un rang inférieur habitaient à la périphérie. Les empereurs japonais séjournèrent à Heiankyo pendant plus de mille ans, jusqu'à l'arrivée au pouvoir de l'empereur Meiji en 1868. Les princes et les nobles qui y habitaient devinrent ceux qui vivaient « dans les nuages », parce qu'ils vivaient à l'écart de la vie de tous les jours.

LE MAUSOLÉE IMPÉRIAL

Le mausolée de Heian fut construit en 1895. C'est une reproduction du premier palais impérial de Kyoto, conçu pour l'empereur Kammu en 794. Comme le palais d'origine, il avait des poutres peintes en rouge et d'étonnants toits incurvés à la chinoise. Toutefois, le mausolée fait environ la moitié de la taille du palais d'origine. Il se trouve dans un jardin, entouré d'un superbe lac.

LA VIE DANS UN SHINDEN

À Heiankyo, nobles et courtisans vivaient dans de superbes shinden semblables à celui-ci. Chaque shinden était conçu sous forme de bâtiments séparés reliés par des passerelles couvertes. Il était généralement situé dans un jardin paysager, avec collines artificielles, arbres ornementaux, ponts, pavillons et pièces d'eau. Parfois un ruisseau serpentait dans le jardin – voire dans la maison même. Les membres de la famille et leurs serviteurs occupaient les différentes parties du shinden.

PAVILLON DORÉ

Voici une réplique du célèbre Kinkakuji (temple du Pavillon doré). L'original, achevé en 1397, survécut jusqu'en 1950. Mais, comme beaucoup de vieux bâtiments en bois de Kyoto, il a été détruit par le feu. Les murs du pavillon, recouverts à la feuille d'or, ont un éclat doré qui se reflète dans les eaux calmes d'un lac.

LE TEMPLE D'ARGENT

Le Ginkakuji (temple du Pavillon d'argent) de Kyoto fut achevé en 1483. Malgré son nom, il n'a jamais été de couleur argent. Il est plutôt en bois naturel.

LA SALLE DU TRÔNE

La salle du trône du Shishinden se trouve dans l'enceinte du palais de Kyoto. L'empereur restait assis sur la plate-forme surélevée (à gauche), les courtisans, eux, s'inclinaient profondément devant lui.

BÂTISSEURS DE CHÂTEAUX

LE CHÂTEAU DU HÉRON BLANC
Le château d'Himeji, dans le sud du Japon, est le plus grand château existant. Il passe aussi pour être le plus beau. On l'appelle souvent le château du Héron blanc, en raison de ses toits gracieux, recourbés comme les ailes d'un oiseau. Il fut construit par la famille Akamatsu au début du XVIe siècle et récupéré par le seigneur de la guerre Toyotomi Hideyoshi en 1590.

Pendant des siècles, les nobles ont habité la ville de Heiankyo. Près de mille ans plus tard, des familles nobles ont commencé à constituer de grands *shoen* (propriétés privées dans la campagne). Ces familles se faisaient souvent la guerre. Elles construisirent des châteaux sur leurs terres pour défendre leurs shoen et les soldats de leurs armées privées. Contrairement à d'autres constructions japonaises (à part les temples), les châteaux étaient bâtis sur plusieurs étages.

La plupart étaient bâtis dans des sites protégés telles des falaises rocheuses. Le plus ancien avait un *tenshu* (haute tour centrale) entouré de solides clôtures en bois ou de murs en pierre. Par la suite, les constructions devinrent plus élaborées, avec remparts, douves et cours intérieures et extérieures entourant le tenshu central.

La période 1570-1690 est souvent considérée comme l'âge d'or des châteaux. Les familles des daimyo construisirent de magnifiques châteaux, si solides qu'ils défièrent le pouvoir des shoguns. En 1615, le shogun Tokugawa Ieyasu interdit aux nobles de construire plus d'un château sur leur domaine.

CHÂTEAU DE BOIS
Le château d'Himeji est construit principalement en bois. Son édification a exigé 387 tonnes de bois d'œuvre et 75 000 tuiles. À l'extérieur, de solides poutres sont recouvertes d'un plâtre résistant au feu. À l'intérieur, on trouve des sols et des escaliers de bois poli.

LE CHÂTEAU ASSIÉGÉ

Pour attaquer un château, on en faisait le siège. Les soldats ennemis l'encerclaient, puis attendaient que les habitants sortent en quête de nourriture. Entre-temps, on brisait les défenses du château en prenant d'assaut les portes et en tuant les gardes.

SAUVE QUI PEUT !

Ce paravent décoré représente le siège du château d'Osaka en 1615. Les habitants du château se sauvent, chassés par les soldats ennemis. Les douves et les murs sont visibles à l'arrière-plan.

AU CŒUR DE LA CAPITALE

Le château de Nijo, à Kyoto, commencé par le guerrier Oda Nobunaga en 1569, a été achevé par Tokugawa Ieyasu. Il était conçu pour assurer à son propriétaire la maîtrise absolue sur la capitale impériale et sur l'ensemble du pays.

MATÉRIAUX DE CONSTRUCTION

Les châteaux étaient en bois, souvent du bois de pin, et en pierre. Pour l'assise inférieure, d'énormes cailloux étaient extraits des carrières ou détachés du flanc des montagnes. On les ajustait à la main, sans mortier, de sorte qu'en cas de tremblement de terre les pierres pouvaient se déplacer légèrement sans que tout l'édifice s'écroule. Les murs du haut étaient en planches et en spath, recouvert de plâtre fait de pierre broyée mélangée à de l'eau.

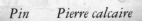

Pin   Pierre calcaire

ENTOURÉ D'EAU

De profondes douves protégeaient le château des invasions. Elles pouvaient mesurer 20 m de largeur et 6 m de profondeur. On accédait au château par un pont-levis en bois gardé par des soldats. Le château était également défendu par des remparts en pierre, souvent de 5 m d'épaisseur, qui s'enfonçaient dans les douves, ce qui permettait de voir venir les attaquants.

VILLES ET COMMERCE

J usqu'au début du XXe siècle, la majeure partie des Japonais habitait à la campagne. Mais, après 1600, quand le Japon connut la paix, les villes fortifiées s'agrandirent rapidement. Les villes et les cités étaient des centres d'artisanat et de commerce. « Il n'existe pratiquement pas une maison... où il n'y ait quelque chose qui se vende ou se fabrique », dit un visiteur de Kyoto en 1691. Le commerce augmenta aussi dans les petites villes et les villages, rattachant les quartiers les plus éloignés à un réseau national d'achat et de vente.

Les villes fortifiées étaient minutieusement conçues. Routes, portes, murs et citernes étaient disposés de façon ordonnée. Elles comportaient plusieurs secteurs selon les groupes qui les habitaient et y travaillaient – nobles, familles de daimyo et de samouraïs de haut rang, samouraïs ordinaires, artisans, marchands et commerçants. De nombreuses villes devinrent des centres de divertissement avec théâtres, théâtres de marionnettes, danseurs, musiciens et artistes. Les grandes villes avaient également des quartiers de divertissement, où l'on venait oublier les difficultés de la vie quotidienne.

MENUISIERS
Les *netsuké* sont des barrettes qui servaient à fixer de petits objets à la ceinture d'un kimono. Trois charpentiers sont sculptés sur celui-ci, en ivoire. Les menuisiers construisaient et réparaient les maisons.

UNE VILLE TRADITIONNELLE
Ce dessin a été fait en 1882 par un voyageur européen. On y voit une rue étroite et animée du Japon. Bien que relativement récent, il montre des habillements, des boutiques et des maisons inchangés depuis des siècles. Les bâtiments sont en bois, et les échoppes ouvrent directement sur la rue. Le tissu pendu au-dessus de l'entrée représente le type de boutique, par exemple un commerce de couteaux ou d'éventails.
Ils portent des caractères *kanji* ou des motifs particuliers imprimés ou tissés. L'artiste européen ne devait pas savoir lire le japonais, car il a reproduit des gribouillis illisibles.

LE TISSAGE DE LA SOIE

La soie était tissée sur un métier comme celui-ci. Cette gravure date de 1770. Les villes étaient de grands centres de production d'étoffe. En particulier, Kyoto était célèbre pour ses soies décorées de fleurs d'or et d'argent.

DES ARTISANATS VARIÉS

Ces deux hommes fabriquent des lanternes en papier. Depuis les temps anciens, des artisans aux talents divers travaillent dans les villes japonaises. Une liste des guildes d'artisans établis à Osaka en 1784 répertoriait vingt-quatre commerces : fabricants de porcelaine, de parasols et de poudre de riz, tresseurs de paniers, imprimeurs, vendeurs de papier, préparateurs de peinture, fileurs de coton, sculpteurs sur ivoire et fabricants de socquettes.

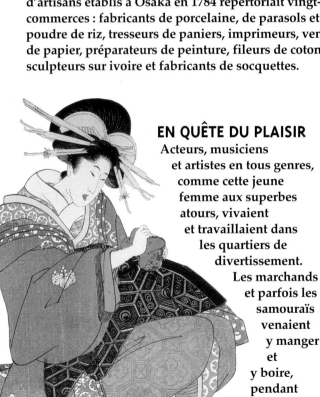

EN QUÊTE DU PLAISIR

Acteurs, musiciens et artistes en tous genres, comme cette jeune femme aux superbes atours, vivaient et travaillaient dans les quartiers de divertissement. Les marchands et parfois les samouraïs venaient y manger et y boire, pendant que la geisha dansait et chantait pour leur plaisir.

LES INCENDIES

Le feu menaçait toujours les villes japonaises. En effet, la plupart des constructions étaient en bois et blotties les unes contre les autres. Pour empêcher le feu de se propager, les dirigeants des cités donnèrent l'ordre de remplacer les couvertures en bois par des tuiles. Ils ordonnèrent aussi que des baquets soient installés dans les rues et que l'on construise des tours de guet pour donner l'alerte.

LA MODE À LA COUR

Dans l'ancien Japon, les riches nobles à la cour de l'empereur portaient des habits très différents de ceux des paysans. Du VIIe au XVIe siècle, la cour japonaise s'habillait dans le style traditionnel des Chinois. Hommes et femmes portaient des tuniques longues et souples faites de soies fines, scintillantes, maintenues par une large ceinture et des cordes. Les hommes mettaient dessous des pantalons larges. Les femmes laissaient flotter leurs longs cheveux, mais les hommes les relevaient en un petit chignon et portaient un haut chapeau noir. L'élégance et le raffinement caractérisaient leur mise. Après le début du XVIe siècle, des familles de samouraïs fortunés optèrent pour un style nouveau. Hommes et femmes adoptèrent le kimono, une longue et ample tunique, qui devint populaire parmi les artistes, les acteurs et les artisans les plus riches. Les shoguns promulguèrent des lois pour tenter d'interdire aux gens du peuple le port de kimonos élaborés.

PARASOL
Les femmes protégeaient leur teint délicat avec une ombrelle en papier huilé. La mode voulait une peau pâle, et des sourcils estompés.

BON OU MAUVAIS GOÛT ?
Cette gravure date du XVIIIe siècle. Cette tenue aurait été considérée comme trop osée pour être de bon goût. Hommes et femmes choisissaient des habits qui allaient bien ensemble.

FAIRE UN ÉVENTAIL

Matériel : carton épais (38 cm x 26 cm), crayon, règle, compas, rapporteur, stylo-feutre (bleu), papier (rouge), ciseaux, peintures, pinceau, pot à eau, bâton de colle.

1 Trace un trait au milieu du carton. Pose ton compas aux deux tiers au-dessus du trait. Fais un cercle de 23 cm de diamètre.

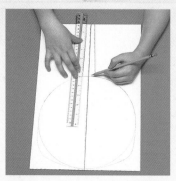

2 Ajoute une bande en haut du cercle, comme ci-dessus. Dessine le manche (15 cm de long). Il doit se situer exactement sur le trait vertical.

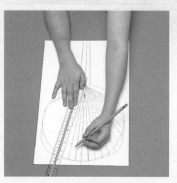

3 Pose le rapporteur en haut du manche et dessine un demi-cercle autour. Pose des marques à 2,5° les unes des autres. Tire des traits au crayon qui passent par ces marques.

PIED AU SEC

Pour attraper des insectes dans le jardin, à la lanterne, ces femmes portent des *geta* (socques). Celles-ci sont conçues pour protéger le pied de la boue en le soulevant de 5 ou 7 cm au-dessus du sol. On les portait dehors.

KIMONO EN SOIE

Ce magnifique kimono en soie date du début du XVIe siècle. Les femmes le ceinturaient d'une *obi*, large écharpe de soie. Les hommes mettaient, eux, une ceinture étroite.

ÉVENTAIL EN PAPIER

Les éventails pliables sont une invention japonaise. Les hommes s'en servaient autant que les femmes. Celui-ci est décoré à la feuille d'or et orné de chrysanthèmes.

Les femmes de la noblesse avaient coutume de se cacher le visage à la cour. Elles se servaient pour cela d'éventails décorés, qui leur permettaient aussi de se rafraîchir pendant les étés chauds et moites.

DES CHEVEUX MAGNIFIQUES

La mode en vigueur au palais impérial apparaît sur cette gravure. Les femmes portent de longs cheveux qui leur tombent à la taille – un signe de beauté dans l'ancien Japon.

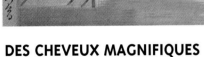

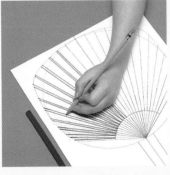

4 Dessine un trait bleu à 1 cm à gauche de chaque trait que tu as dessinés. Puis fais un trait bleu à 2 mm à droite de ce trait. Fais des hachures entre les parties.

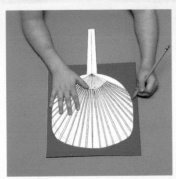

5 Découpe ton éventail en carton. Prends-le comme patron. Reporte la partie supérieure (pas le manche) sur le papier rouge. Découpe ensuite le papier rouge.

6 Découpe les parties intermédiaires du carton (celles que tu as hachurées). Peins l'éventail en carton en marron des deux côtés. Laisse sécher.

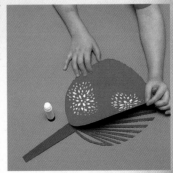

7 Peins des fleurs blanches sur le papier rouge et laisse sécher. Mets de la colle sur un côté du carton. Colle le côté uni du papier rouge sur l'éventail.

VÊTEMENTS DE TRAVAIL

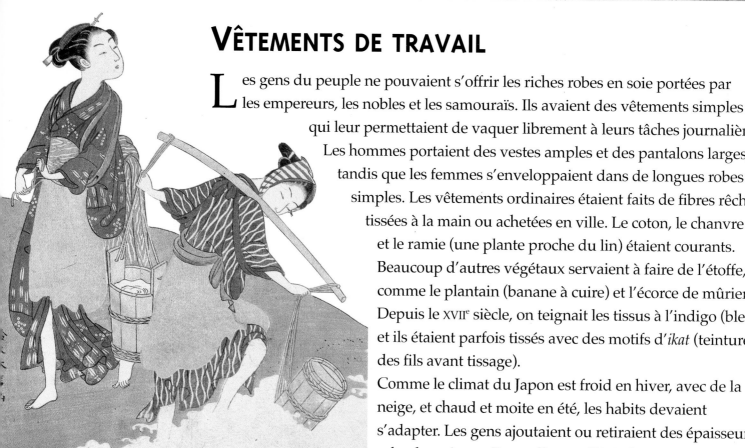

Les gens du peuple ne pouvaient s'offrir les riches robes en soie portées par les empereurs, les nobles et les samouraïs. Ils avaient des vêtements simples qui leur permettaient de vaquer librement à leurs tâches journalières. Les hommes portaient des vestes amples et des pantalons larges, tandis que les femmes s'enveloppaient dans de longues robes simples. Les vêtements ordinaires étaient faits de fibres rêches tissées à la main ou achetées en ville. Le coton, le chanvre et le ramie (une plante proche du lin) étaient courants. Beaucoup d'autres végétaux servaient à faire de l'étoffe, comme le plantain (banane à cuire) et l'écorce de mûrier. Depuis le XVIIe siècle, on teignait les tissus à l'indigo (bleu) et ils étaient parfois tissés avec des motifs d'*ikat* (teinture des fils avant tissage).

Comme le climat du Japon est froid en hiver, avec de la neige, et chaud et moite en été, les habits devaient s'adapter. Les gens ajoutaient ou retiraient des épaisseurs selon les saisons. Pour affronter l'été pluvieux, ils avaient des habits imperméables fabriqués avec de la paille. En hiver, ils portaient des vestes matelassées ou rembourrées.

TABLIERS PROTECTEURS
Ces femmes récoltent le sel à partir de l'eau de mer. Elles portent des tabliers en cuir ou confectionnés dans une lourde toile pour protéger leurs vêtements. Celle de droite retient ses cheveux à l'aide d'un foulard.

AMPLES ET CONFORTABLES
Les paysans travaillaient dur à repiquer les pousses de riz dans les rizières. Ils portaient des vêtements amples et confortables – courtes vestes, pantalons larges noués aux genoux et aux chevilles, et des chapeaux de soleil. Pour travailler dans les rizières inondées ou au bord de la mer, hommes et femmes allaient souvent pieds nus.

REPRISES ET RAVAUDAGE

Comme les vêtements de travail s'usaient ou se déchiraient, la femme devait les repriser. Les femmes des familles pauvres confectionnaient des vêtements simples. Parfois, on achetait des vêtements à des colporteurs ou dans des échoppes.

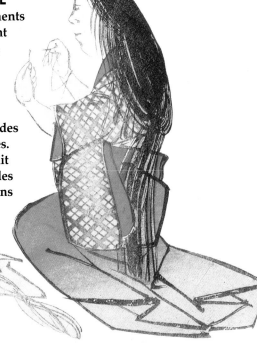

LES ARMURIERS

À l'origine, seules les familles de haut rang pouvaient porter le kimono. D'autres personnes prestigieuses et riches, comme ces armuriers patentés, ne tardèrent pas à les imiter. Le kimono était élégant et confortable. Toutefois, il ne convenait guère à une vie active à l'extérieur.

CHAUSSURE À SON PIED

Dehors, les gens simples portaient des socques ou de simples sandales. Celles-ci étaient en paille tressée avec des liens en paille torsadée. Avant d'entrer dans une maison, on retirait les chaussures pour ne pas rapporter à l'intérieur de la boue, de l'herbe ou des poussières.

NE PAS FAIRE ENTRER LA PLUIE

Des chapeaux coniques en paille tressée ou en bambou protégeaient de la pluie. L'eau coulait sur la pente de ces couvre-chefs avant d'avoir pu pénétrer la paille. Les paysans fabriquaient aussi des capes en natte tressée. Sur l'image de droite, tu peux voir un homme plié en deux sous sa cape. Les riches prenaient des parapluies en tissu huilé pour se protéger des intempéries.

L'ART DE LA DÉCORATION

Une longue tradition, chez les artisans japonais, veut que l'on fasse chaque jour de jolies choses. Les artisans créent aussi des objets exquis pour les collectionneurs les plus fortunés. Ils faisaient appel à divers matériaux – poterie, métal, laque, étoffe, papier et bambou. La poterie allait de la simple terre cuite à la délicate porcelaine, peinte de couleurs brillantes.

Les métallurgistes faisaient des alliages (mélanges de métaux) encore inconnus dans le reste de l'Ancien Monde. Le tissu était composé de nombreuses fibres formant un motif élaboré. Le bambou et d'autres végétaux étaient tissés pour faire d'élégants *tatamis* (nattes) et des boîtes de toutes formes. Les artisans fabriquaient des *inro* (petites boîtes qui servaient de porte-monnaie) joliment décorés qui pendaient, en général, à la ceinture du kimono des hommes.

LAQUE BRILLANTE

Ce casque de samouraï avait un usage cérémoniel. Il est couvert de laque (vernis) et décoré de dauphins qui plongent. Laquer un objet exige de la patience. Il faut repasser plusieurs couches fines. Chacune doit sécher et être polie avant de recommencer. Ensuite on peut la sculpter.

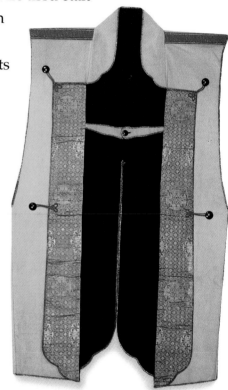

SURCOT DE SAMOURAÏ

Même les habits les plus simples étaient merveilleusement travaillés. Ce surcot (une tunique vague et sans manches) a été fait vers 1800 pour un membre de la famille Mori. Les samouraïs portaient des surcots par-dessus leur armure.

FAIRE UN *NETSUKÉ*

Matériel : papier, crayon, règle, pâte à modeler à séchage rapide, balsa, ébauchoir, papier de verre fin, peinture acrylique, pinceau, pot à eau, aiguille à repriser, cordon, petite boîte (pour un *inro*), ciseaux, épingle, large ceinture.

1 Dessine sur du papier un carré de 5 cm sur 5 cm. Forme une boule de pâte à modeler de la taille du carré. Pétris-la pour effiler la pâte à modeler à un bout.

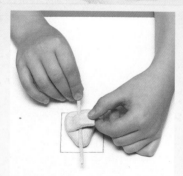

2 Retourne la pâte. Pose dessous un morceau de balsa d'environ 6 cm de long. Recouvre le bâton d'un mince boudin de pâte. Presse pour que ça tienne.

3 Retourne la pâte. Découpe deux triangles de pâte. Fixe-les à la tête à l'aide de la spatule. Dentelle le bord pour faire des oreilles de renard.

LA FORGE

Les artisans polissent des épées et des poignards qu'ils ont fabriqués. Il fallait des années de formation pour devenir forgeron. Les artisans japonais étaient célèbres pour leur adresse à fondre et à travailler les métaux.

BOÎTES POUR CEINTURES

Les inro étaient conçus à l'origine pour transporter des remèdes. Les premiers étaient unis, mais, à partir du XVIIIe siècle, ils étaient décorés. Ces inro étaient laqués (enduits d'une substance tirée du suc de l'arbre à laque ou laquier). Il y avait à l'intérieur plusieurs compartiments.

CHEF-D'ŒUVRE

Ce vase porte un motif de fleurs blanches peintes sur un vernis brillant rouge et noir. Il a été peint par le maître artisan Ogata Kenzan (1663-1743).

Laisse ton inro pendre à ta ceinture. Dans l'ancien Japon, l'inro était habituellement porté par des hommes. Il était retenu par une sorte d'épingle sculptée appelée netsuké.

4 Prends ta spatule pour faire la bouche du renard. Sculpte les yeux, les narines, les dents et le pli du front. Prends la mine d'un crayon pour faire les yeux.

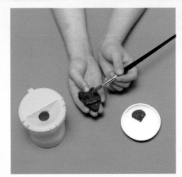

5 Laisse sécher. Frotte ton netsuké au papier de verre et retire le bâton de balsa. Passe plusieurs couches de peinture acrylique. Laisse sécher dans un endroit chaud.

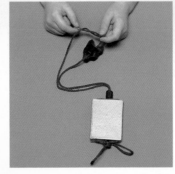

6 Fais passer un cordon par les quatre coins d'une petite boîte à l'aide d'une grosse aiguille. Puis fais passer le cordon par une épingle et le netsuké, comme ci-dessus.

7 Mets-toi une large ceinture. Fais glisser le netsuké par-dessous. Il doit reposer sur la ceinture. L'inro doit pendre dessous (voir ci-dessus).

BOIS ET PAPIER

Dans l'ancien Japon, le travail du bois était plus qu'un artisanat. La plupart des grands édifices, tels les temples et les palais, étaient décorés de toits en bois sculptés, peints et dorés avec élégance. Les portes d'entrée et les piliers étaient aussi peints ou sculptés. À l'intérieur, les poutres et les piliers étaient faits de troncs solides, les sols incrustés de bandes de bois poli et les paravents avaient des cadres ouvragés. Un bâtiment ainsi ouvragé manifestait la richesse et le pouvoir de son propriétaire. Toutefois, des constructions en bois plus petites, dépourvues de sculptures, mettaient en valeur la beauté de la matière et du travail, ainsi que l'élégance des lignes.

Le papier constituait un autre artisanat important. Il entrait dans la fabrication de petits objets, comme des paravents et des lanternes, des parasols et même des vêtements. Le choix d'un papier pour écrire un poème ou pour peindre faisait partie des responsabilités de l'artiste. Un joli papier à lettres témoignait du bon goût de son expéditeur.

STATUES DE BOIS
Cette statue représente un dieu bouddhiste. Elle a été sculptée entre le IXe et le Xe siècle. Beaucoup de temples japonais ont des sculptures et des statues en bois.

PARAVENT DÉCORÉ
Les paravents étaient des œuvres d'art mobiles. Celui-ci, qui date du XVIIIe siècle, fait référence à l'histoire du Japon. Il montre des marchands portugais et des missionnaires écoutant des musiciens.

UNE BOÎTE EN ORIGAMI

Matériel : un carré de papier coloré (15 cm x 15 cm), une surface lisse et propre.

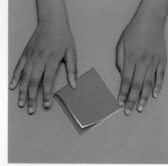

1 Pose ton papier sur une surface plate. Plie-le au centre à l'horizontale, puis à la verticale. Déplie-le.

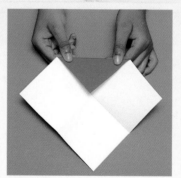

2 Replie soigneusement chaque coin vers le milieu, comme ci-dessus. Déplie chaque coin avant de plier l'autre.

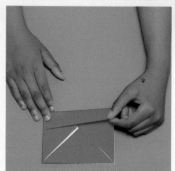

3 En suivant les marques, replie les quatre coins. Puis replie chaque côté à 2 cm du bord pour faire une trace et déplie.

GRANDS PILIERS

Cette rangée de piliers de bois rouge soutient un lourd toit ornementé. Elle fait partie du sanctuaire Meiji de Tokyo. Le rouge était la couleur traditionnelle des lieux de pèlerinages et des palais royaux japonais.

LUMIÈRES SAINTES

Des lampes en papier plissé étaient accrochées à l'extérieur des lieux de culte shinto. Le nom de ceux qui avaient donné de l'argent pour les construire était écrit dessus.

L'ART DU PAPIER

La fabrication du papier et la calligraphie (art de l'écriture) constituaient deux formes d'art importantes au Japon. Cette gravure sur bois représente un groupe de personnes avec tout ce qu'il faut pour décorer des paravents et des éventails : papier, encres, palette, pinceaux et pots de peinture.

UTILES ET BEAUX

Les arbres étaient admirés pour leur beauté et pour leur utilité. Ceux-ci sont représentés au printemps par Hiroshige, le célèbre artiste en bois gravé.

Les Japonais utilisent toutes sortes de boîtes pour ranger leurs affaires. Que mettras-tu dans la tienne ?

4 Déplie soigneusement deux côtés opposés. Ton origami (papier plié) doit se présenter comme sur l'image ci-dessus.

5 En suivant les marques que tu as faites, relève les côtés pour faire des cloisons, comme ci-dessus. Fais ensuite tourner l'origami à 90°.

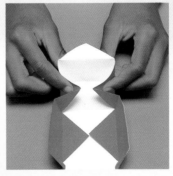

6 Fais rentrer les coins du troisième côté, comme ci-dessus. Guide-toi sur les marques des plis. Soulève légèrement la boîte et replie la cloison.

7 Avec soin, recommence l'étape 6 pour former la dernière paroi. Tu peux refaire une autre boîte en origami pour améliorer ta technique.

43

Kanji car.
imprimerie → Katakana

Kanji car. imprimerie → Kanji manuscrit → Hiragana

ÉCRITURE JAPONAISE

Au début du IXe siècle apparaissent deux nouveaux systèmes d'écriture : le *hiragana* et le *katakana*. On pouvait écrire le japonais comme on le parlait. Le côté gauche du tableau ci-dessus montre comment divers symboles katakana sont issus du kanji. celui de droite, comment les symboles hiragana ont évolué à partir de la forme écrite du kanji.

ÉCRIRE ET DESSINER

Le japonais appartient à une famille de langues qui comprend le finnois, le turc et le coréen. Elle est totalement différente de sa voisine, le chinois. Pourtant, pendant des siècles, les caractères chinois ont servi à lire et à écrire le japonais. En effet, les moines, les courtisans et même l'empereur – les seuls à savoir lire – valorisaient la civilisation chinoise et ses idées. Quand le royaume japonais devint plus fort et sa culture plus développée, on éprouva le besoin de changer de caractères.

Au IXe siècle, deux nouvelles *kanas* (écritures) furent inventées. Elles utilisaient des images symboliques issues des *kanjis* (caractères chinois) qui exprimaient des sons et s'écrivaient sur un rouleau de papier à l'aide d'un pinceau et de l'encre. Un type, appelé *hiragana*, servait pour des mots purement japonais. L'autre, le *katakana*, était réservé aux mots d'origine étrangère.

DOCUMENTS OFFICIELS

Ce rouleau illustré représente la visite de l'empereur Go-Mizunoo (règne : 1611-1629) au shogun Tokugawa Iemitsu. Le texte explique que le palanquin (litière) transporte l'impératrice et donne la liste des présents destinés au shogun.

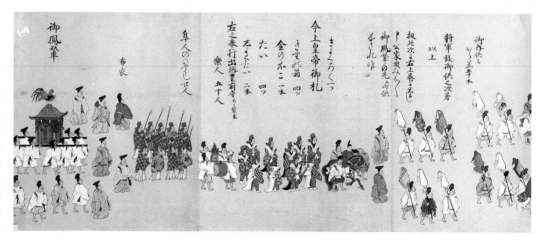

CALLIGRAPHIE

Matériel : papier, encre, pinceau à calligraphie (on peut prendre un pinceau normal et de l'encre noire si l'on ne peut se procurer le matériel approprié).

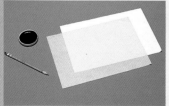

Les numéros montrent l'ordre dans lequel il faut exécuter les traits pour ce caractère. Les traits 2, 3 et 4, et 5 et 6 sont faits d'un seul élan, sans relever le pinceau.

1 Le premier trait s'appelle *soku*. Commence en haut de la page en allant de gauche à droite. Tourne vers le bas à gauche, puis relève la pointe du pinceau.

2 Les traits 2, 3 et 4 s'appellent *roku*, *do* et *yaku*. Fais-les ensemble d'un seul geste. Commence par une pression, puis relève ton pinceau.

HISTOIRES SUR ROULEAUX

Des rouleaux de ce type étaient conçus pour être tenus à la main, comme des livres. Le texte et le dessin sont côte à côte. Les artistes japonais représentaient souvent les maisons sans le toit pour que le lecteur puisse voir à l'intérieur.

FAIRE DE LA PEINTURE

Un jeune garçon mélange l'encre pour sa compagne. L'encre est à base de charbon de bois compressé dilué dans l'eau et doit avoir la bonne consistance. La jeune femme tient un large pinceau.

IMPRIMER DES IMAGES

Des gravures sur bois étaient obtenues en gravant une image inversée sur une planche de bois, que l'on reproduisait ensuite plusieurs fois. On pouvait utiliser plusieurs bois gravés, un par couleur, pour une seule image.

Ce caractère s'appelle EI (éternel). Il nécessite les huit principaux traits de la calligraphie japonaise.

3 Pour le trait n° 5 (saku), donne une pression encore plus forte quand le pinceau va de gauche à droite. Pour le trait n° 6 (ryo), appuie au début, puis relève ton pinceau.

4 Pour le trait n° 7 (taku), appuie de façon continue pour tracer ce coup bref. Attention : tu dois faire le trait assez vite.

5 Le trait n° 8 s'appelle aussi taku. La pression augmente à mesure que tu descends. Fais tourner le pinceau à droite au dernier moment, comme ci-dessus.

POÈMES, LETTRES ET ROMANS

Avec les nouveaux systèmes d'écriture apparus au début du IXe siècle, on vit se multiplier les formes littéraires, tels journaux intimes, récits de voyage et poèmes. Une poésie raffinée (*waka*) était fort prisée à la cour de l'empereur. Au XVIIe siècle, le *haiku* (court poème de dix-sept syllabes) s'imposa. Le haiku était écrit par les membres de la classe des samouraïs et par les courtisans. Les femmes écrivains furent très importantes dans l'ancien Japon. Une dame de la cour, Sei Shonagon (née vers 965), eut du succès avec une sorte de journal intime, *Notes de chevet*. Les femmes écrivains étaient si célèbres qu'un homme au moins se fit passer pour une femme. Le poète Ki no Tsurayuki publia Le *Journal du voyage de Tosa* sous le nom d'une femme.

FEMME DE LETTRES

Chiyo était une dame de la cour et une poétesse du XVIIe siècle. Les nobles lisaient et écrivaient des poèmes. Citer des œuvres était le signe d'une bonne éducation. La correspondance des nobles contenait de nombreux vers.

LE PREMIER ROMAN DU MONDE

Ce rouleau représente une scène tirée du *Roman de Genji* écrit autour de l'an 1000 par Murasaki Shikibu. Le rouleau a été peint au XVIIIe siècle, mais l'artiste a reproduit le style de l'époque où se situe le roman.

FAIRE DU PAPIER

Matériel : 8 baguettes de bois (4 cm x 33 cm et 4 cm x 28 cm), clous, marteau, mousseline (35 cm x 30 cm), pistolet agrafeur, ruban adhésif, ciseaux, papier déchiqueté, pot à eau, presse-purée, cuvette, pétales de fleurs, cuiller, chiffons doux.

1 Demande à un adulte de te fabriquer deux cadres. Agrafe une mousseline sur l'un des deux pour faire le tamis. Entoure ce cadre de ruban adhésif pour tendre le tamis.

2 Pose le cadre et le tamis. Laisse tremper dans l'eau le papier pendant une nuit. Écrase avec le presse-purée pour en faire de la pâte.

3 Remplis la cuvette à mi-hauteur de pâte et d'eau froide. Tu peux y ajouter quelques pétales pour le décor. Mélange bien avec une cuiller.

POÈTE ET VOYAGEUR

Cette gravure du XIXe siècle représente le poète Matsuo Basho (1644-1694), un célèbre auteur de haiku. Grand voyageur, Basho (à droite) parle avec deux paysans qu'il a rencontrés lors de ses pérégrinations. Voici un exemple d'un haiku de Basho :

> Herbes de l'été –
> Ce qui reste des
> Rêves des hardis guerriers.

PAPIER JAPONAIS

Les artisans japonais fabriquaient de beaux papiers. Ils utilisaient l'écorce (surtout celle du mûrier) et d'autres fibres végétales, qu'ils mélangeaient pour faire du papier de différentes textures . Ils saupoudraient parfois le mélange de mica ou de feuille d'or pour que la feuille scintille.

Papier japonais

Écorce du mûrier

UN VOL DE GRUES

Cette carte-poème contient un poème *waka* (le style du palais) en trente et une syllabes. Écrit en noir et argent, il est décoré de grues.

La personnalité de l'écrivain se jugeait au type de papier qu'il utilisait autant qu'au contenu de sa missive.

4 Mets dans la cuvette le cadre avec le tamis dessus en les glissant sous la pâte à papier.

5 Ressors le tamis de la cuvette en le gardant bien horizontal. Penche-le doucement de droite à gauche pour que la couche de pâte s'étale. Fais bien partir l'eau.

6 Retire le cadre du tamis. Retourne avec soin le tamis à plat sur un chiffon. Essuie le dos du tamis avec un chiffon pour retirer le surplus d'eau.

7 Relève le tamis. Laisse sécher le papier au moins six heures. Quand il est sec, retourne le tout et retire doucement le chiffon pour voir ton papier.

Au théâtre

L e théâtre et la musique étaient des divertissements fort appréciés dans l'ancien Japon. Le drame japonais présentait plusieurs formes de danses. Les unes étaient dérivées des danses religieuses dans les temples et les lieux de pèlerinage, les autres de celles, lentes et majestueuses, exécutées à la cour de l'empereur.

Le *nô* est la forme la plus ancienne du drame. Apparu au XIVᵉ siècle, il est issu de rituels et de danses pratiqués pendant des générations. Les pièces de nô étaient graves. Les acteurs jouaient sur une scène nue, avec seulement une toile de fond. Ils chantaient ou scandaient le texte, accompagnés de tambours et d'une flûte. Les représentations se tenaient en extérieur, souvent dans un lieu de pèlerinage.

On voit les premières pièces de *kabuki* au début du XVIIᵉ siècle. En 1629, les shoguns ayant interdit aux femmes de monter sur la scène, les hommes les remplacent. Les pièces de kabuki conquirent bientôt les villes en plein développement.

UNE ARTISTE CHARMANTE
Cette musicienne tient un *shamisen* – instrument à trois cordes. Le shamisen faisait souvent partie d'un groupe composé également d'un *koto* (cithare) et d'une flûte.

LES MARIONNETTES
Le *bunraku* (théâtre de marionnettes) a environ quatre cents ans. Il associe le shamisen, la mélopée et les marionnettes. Celles-ci étaient si grosses et si élaborées qu'il fallait trois hommes pour les faire bouger sur scène.

UN MASQUE NÔ

Matériel : mètre ruban, ballons gonflables, bol, colle, vaseline, épingle, ciseaux, stylo-feutre, pâte à modeler, poinçon, peintures (rouge, jaune, noire et blanche), pinceau, pot à eau, cordon.

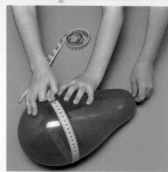

1 Demande à un (e) ami (e) de mesurer ta tête au-dessus des oreilles. Gonfle un ballon pour qu'il corresponde à ta taille. Ce sera la base pour ton papier mâché.

2 Déchire des bandes de papier journal. Laisse-les tremper dans un mélange d'eau et de colle (deux fois plus d'eau que de colle). Recouvre le ballon d'une couche de vaseline.

3 Recouvre le devant et les côtés du ballon d'une couche de papier mâché. Laisse sécher. Recommence deux ou trois fois. Quand c'est sec, fais éclater le ballon.

THÉÂTRE TRAGIQUE

Le public regarde une représentation en extérieur d'une pièce de nô. Le nô portait toujours sur des questions graves et importantes. Les sujets de prédilection étaient la mort et l'au-delà, et la fin de la pièce était souvent tragique.

VITE ET FORT

Le théâtre de kabuki était le contraire du nô. Il se jouait vite, fort, de façon tapageuse et très dramatique. Le public admirait le talent des acteurs autant que l'habileté de l'intrigue.

Mets ton masque et imagine que tu joues dans une pièce de nô, avec de longues jupes tourbillonnantes.

DERRIÈRE LE MASQUE

Ce masque nô représente un visage de guerrier. Le drame nô ne cherchait pas à reproduire la réalité. Les acteurs portaient des masques et se mouvaient lentement, avec des gestes stylisés. Ils étaient tous des hommes. Ils s'habillaient et portaient des masques pour jouer des rôles de femmes.

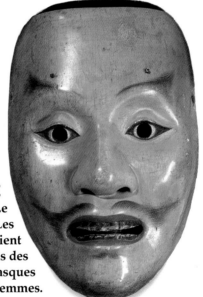

4 Découpe les bords du papier mâché pour former un masque. Demande à quelqu'un de dessiner l'emplacement de tes yeux, de ton nez et de ta bouche.

5 Découpe les trous avec des ciseaux. Mets de la pâte à modeler sur le côté au niveau des tempes. Prends un poinçon pour faire deux trous de chaque côté du masque.

6 Peins le visage d'une jeune femme sereine du théâtre nô. Inspire-toi du dessin ci-dessus. Le masque aurait été porté par un homme.

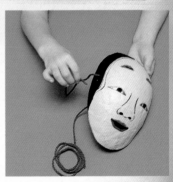

7 Passe le cordon par les trous de chaque côté. Attache un bout. Quand tu as ajusté le masque à ta taille, attache l'autre bout.

VOYAGES ET TRANSPORTS

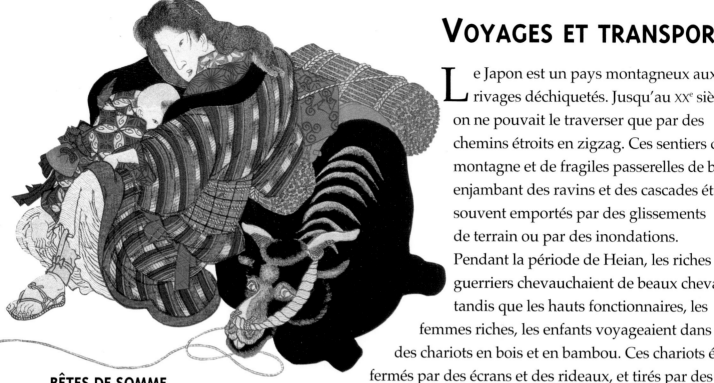

Le Japon est un pays montagneux aux rivages déchiquetés. Jusqu'au XXe siècle, on ne pouvait le traverser que par des chemins étroits en zigzag. Ces sentiers de montagne et de fragiles passerelles de bois enjambant des ravins et des cascades étaient souvent emportés par des glissements de terrain ou par des inondations.

Pendant la période de Heian, les riches guerriers chevauchaient de beaux chevaux, tandis que les hauts fonctionnaires, les femmes riches, les enfants voyageaient dans des chariots en bois et en bambou. Ces chariots étaient fermés par des écrans et des rideaux, et tirés par des bœufs. Quand les chemins n'étaient pas praticables, les gens fortunés étaient transportés à dos d'homme sur des palanquins (chaises à porteur ou litières) Les gens du peuple se déplaçaient à pied.

Durant la période des Tokugawa, les shoguns favorisèrent la construction des routes afin d'améliorer le commerce et d'asseoir leur autorité. La route la plus longue était la route de la mer orientale, qui faisait 480 km entre Kyoto et Edo. Certains disaient que c'était la route la plus fréquentée du monde.

BÊTES DE SOMME

Une mère épuisée se repose avec son enfant et un bœuf au cours de son voyage. Le bœuf est chargé de lourds paquets. Comme les gens simples ne pouvaient s'offrir de chevaux, ils avaient des bœufs pour transporter leurs charges et tirer les charrettes.

À DOS D'HOMME

Les grandes dames sur les palanquins sont soulevées par des porteurs qui traversent la rivière profonde. Elles gardent les pieds secs. Certaines préfèrent se faire porter. Les palanquins sont restés en usage jusqu'à la période des Tokugawa (1616-1868). Pour aller à Edo ou en revenir, les daimyo et leurs femmes faisaient parfois toute la route en palanquin.

SERRER LA CÔTE

Des bateaux pénètrent dans le port de Tempozan, à Osaka. Le fret entre Edo et Osaka était transporté sur des bateaux longeant la côte. Le dessin sur la voile indique le propriétaire du navire.

DES SENTIERS ESCARPÉS

Les voyageurs sur les sentiers de montagne espéraient trouver un abri pour la nuit dans les villages, les temples ou les monastères. Il fallait parfois une journée pour parcourir 16 km.

TRANSPORT DU FRET

De petits cargos, tels ceux-ci à Edobashi dans la cité d'Edo, transportaient des denrées sur les rivières ou le long des côtes. Des hommes actionnaient les rames ou une longue perche pour faire avancer le bateau.

AU PORT

Ces bateaux de haute mer, chargés de fret, sont ancrés à Osaka (un grand port au sud du Japon central). Devant, on peut voir des bateaux de rivière plus petits, avec de hautes voiles. Certaines familles habitaient et travaillaient également sur ces bateaux.

AU BOUT DU MONDE

L a position géographique du pays a toujours isolé le Japon du reste du monde, sans que ce soit un isolement total. Les Japonais ont établi des liens avec leurs plus proches voisins et, parfois, avec des terres éloignées.

En 588, le premier temple bouddhique fut construit au Japon. Son édification correspond au commencement d'une ère où les croyances religieuses, le style vestimentaire et artistique, les idées sur le gouvernement et la société originaires de Chine jouèrent un rôle important dans le pays. L'influence chinoise prit fin vers 800 ou 900. Entre-temps, une culture nationale s'était construite et affirmée. L'autre contact important avec des étrangers fut l'arrivée de commerçants et de missionnaires européens vers 1540. Au début, ils furent tolérés mais, entre 1635 et 1640, les shoguns interdirent le christianisme et limitèrent de façon stricte les endroits où les étrangers pouvaient faire du commerce. Les Européens devaient habiter dans le comptoir commercial hollandais de l'île de Dejima. Les marchands chinois n'étaient tolérés que dans quelques rues de Nagasaki. Cette politique isolationniste se poursuivit jusqu'en 1853, où les États-Unis envoyèrent des canonnières pour exiger que le Japon s'ouvre au commerce occidental. Les Japonais cédèrent et signèrent en 1858 un traité d'amitié avec l'Amérique.

KONG FUZI
Le philosophe chinois Kong Fuzi (souvent appelé Confucius) a vécu de 551 à 479 av. J.-C. Ses idées sur la famille, le gouvernement et la société ont influencé des générations de Chinois et de Coréens. Les scribes chinois introduisirent les idées de Kong Fuzi au Japon vers 552.

À L'OCCIDENTALE
Le jeune empereur Meiji reprit le pouvoir aux shoguns en 1868. Sur cette illustration, les principaux membres de son gouvernement se réunissent en 1877 pour parler de politique étrangère. Ils sont vêtus pour la plupart d'uniformes de l'armée et de la marine à l'occidentale.

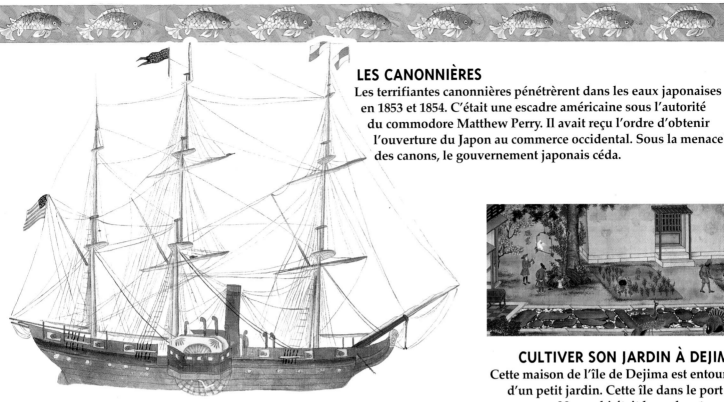

LES CANONNIÈRES

Les terrifiantes canonnières pénétrèrent dans les eaux japonaises en 1853 et 1854. C'était une escadre américaine sous l'autorité du commodore Matthew Perry. Il avait reçu l'ordre d'obtenir l'ouverture du Japon au commerce occidental. Sous la menace des canons, le gouvernement japonais céda.

CULTIVER SON JARDIN À DEJIMA

Cette maison de l'île de Dejima est entourée d'un petit jardin. Cette île dans le port de Nagasaki était le seul secteur où les Européens étaient tolérés durant la période isolationniste du Japon.

LES AFFAIRES À DEJIMA

Cette peinture du XVIIIe siècle représente des marchands européens et japonais, et leurs serviteurs, au comptoir hollandais de Dejima. L'artiste a représenté les marchands en train de parler affaires en prenant le thé dans une maison japonaise typique mais meublée à l'occidentale.

DES IDÉES VENUES D'AILLEURS

Un train à vapeur à l'américaine traverse le port de Yokohama. Cette gravure date de l'ère Meiji (à partir de 1868), où l'empereur introduisit les idées occidentales. On peut voir à l'arrière-plan les docks de Yokohama, qui devint un centre important pour les industries nouvelles à la fin du XIXe siècle.

LES DIEUX ET LES ESPRITS

La plupart des Japonais étaient des adeptes du shinto, une très ancienne religion. *Shinto* veut dire la « voie des dieux ». Cette religion part du principe que toutes les choses de la nature ont un aspect spirituel. Ces esprits de la nature – les *kami* – sont souvent bienveillants, mais peuvent se montrer puissants, voire dangereux. Il faut donc les respecter et les vénérer. Le shinto favorisait le culte des ancêtres – les esprits des ancêtres pouvaient vous guider, vous aider et vous avertir. Des prêtres appelés chamans psalmodiaient, jeûnaient et tombaient en transes pour entrer en contact avec ces esprits. On honorait les esprits du shinto dans des lieux de pèlerinage, souvent construits près de sites spectaculaires, tels des chutes d'eau ou des volcans. Les prêtres veillaient à la pureté des lieux et surveillaient les rites en faisant des offrandes. On pénétrait dans ces lieux de pèlerinage par un *torii* (vaste portail), qui marquait la limite de l'espace sacré. Les torii avaient toujours le même aspect : ils ressemblaient aux anciens perchoirs pour les oiseaux qui attendaient le sacrifice.

AU SANCTUAIRE

Au grand sanctuaire d'Izu, un prêtre prie en frappant un tambour. Une fête s'y tient chaque année en août, avec des offrandes et des prières. Un omikoshi (autel itinérant) est transporté dans les rues pour que les esprits accordent leurs bénédictions à tous.

LES OFFRANDES AUX ESPRITS

Les fidèles du shinto déposent des offrandes pour les *kami* (esprits) qui y résident. Ici, les offrandes sont des tonneaux de saké (alcool de riz) bien emballés. Aujourd'hui, les fidèles déposent aussi de petites plaques en bois avec des prières inscrites dessus.

POUPÉES VOTIVES

Matériel : pâte à modeler à prise rapide, 2 baguettes de balsa (12 cm de long), règle, peintures, pinceau, pot d'eau, pâte à modeler, papier d'argent, papier rouge, papier doré, ciseaux, crayon, bâton de colle, panier (facultatif) et baguette.

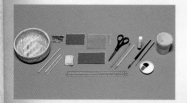

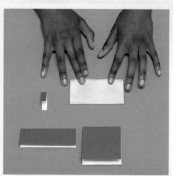

1 Mets une boule de pâte à modeler au bout de chaque baguette. Sur l'une des baguettes, enfonce la pâte à 5 mm du bout. Ce sera l'homme.

2 Peins les cheveux et les traits de l'homme. Laisse-le sécher debout dans de la pâte. Recommence avec la femme. Recouvre les 5 mm de balsa sur la tête avec du papier d'argent.

3 Prends deux morceaux de papier rouge de 6,5 cm x 14 cm et de 6 cm x 10 cm. Plie-les au milieu. Prends deux morceaux de papier doré de 10,5 cm x 10 cm et de 1 cm x 7 cm. Plie-les.

LE VOLCAN SACRÉ

Le Fuji-San (le mont Fuji) était vénéré depuis l'arrivée des premiers émigrants au Japon. Jusqu'en 1867, les femmes n'étaient pas autorisées à poser le pied sur le sol sacré du mont Fuji.

DIEU DE LA FORTUNE

Daikoku est l'un des sept dieux porte-bonheur des Indes, de la Chine et du Japon. Au Japon, c'est le dieu des fermiers, de la richesse et de la cuisine. Daikoku est reconnu par les religions shintoïste et bouddhiste.

PORTE FLOTTANTE

Ce torii de Miyajima (l'île aux sanctuaires) est construit sur la plage. À la marée montante, il semble flotter sur l'eau. Miyajima était sacré pour les trois filles du Soleil.

Dans certaines régions, ces poupées sont exposées dans des paniers le 3 mars, pour Hinamatsuri (la Journée des filles).

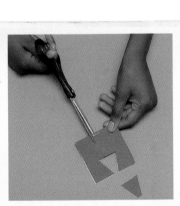

4 Prends le papier rouge plié (6,5 cm x 14 cm). C'est le kimono de l'homme. Découpe un triangle en bas. Découpe le col sur le côté plié.

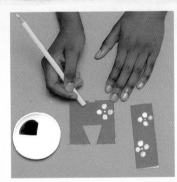

5 Trempe le haut du crayon dans la peinture blanche. Trace un motif sur le papier rouge. Ajoute les points du milieu en trempant la mine dans la peinture.

6 Glisse la tête et le corps de l'homme dans le kimono rouge. Prends le plus grand morceau de papier doré et plie-le autour du bâton, comme ci-dessus. Colle le tout.

7 Colle le papier doré (1 cm x 7 cm) au milieu du kimono de la femme. Glisse la tête et le corps de la femme dans le kimono. Colle le tout.

MOINES ET PRÊTRES

Tout en adhérant au shinto, beaucoup de Japonais pratiquaient le bouddhisme. Le prince Siddhartha Gautama, fondateur du bouddhisme, est né vers l'an 500 av. J.-C. au Népal. Il quitta sa maison pour enseigner une nouvelle religion fondée sur la quête de la vérité et de l'harmonie et le refus de tous les désirs égoïstes. Ses fidèles l'appelèrent le Bouddha (l'Illuminé). Les bouddhistes les plus fervents passaient au moins une partie de leur vie comme érudits, prêtres, moines ou nonnes.

Les enseignements du Bouddha parvinrent au Japon en 552, apportés de Chine et de Corée par des moines et des scribes. Le bouddhisme favorisait l'étude et l'érudition et, au fil des siècles, différentes interprétations des enseignements du Bouddha virent le jour. Chacune, transmise par des moines ou des prêtres, attirait de nombreux fidèles. Le moine bouddhiste Shinran (1173-1262) poussait ses adeptes à mettre leur foi en Amida Bouddha (une forme calme et bienveillante du Bouddha). Il leur enseignait qu'après la mort Amida Bouddha les conduirait au paradis occidental. Son rival, Nichiren (1222-1282), proclamait qu'il avait été choisi pour propager la vraie parole. Cette interprétation du bouddhisme par Nichiren se fondait sur un ancien texte bouddhiste, le Sutra du Lotus.

LE MOINE ET L'ÉLÈVE
Un sage bouddhiste est représenté ici avec un de ses élèves. Grâce à ces maîtres, les idées bouddhistes se répandirent au-dehors de la cour impériale pour atteindre le peuple, qui édifia temples et monastères.

UN MOINE CÉLÈBRE
Ce bois gravé de 1857 illustre un épisode de l'histoire de Nichiren, un moine bouddhiste. Il avait apaisé une tempête, disait-on, par la force de ses prières. L'influence de Nichiren se poursuivit bien après sa mort.

MOINES ÉRUDITS

Un groupe de moines (en haut à gauche) étudie des rouleaux bouddhistes. À cette époque, les moines comptaient parmi les plus grands érudits. Ils étudièrent les connaissances chinoises et élaborèrent pour le Japon des idées nouvelles.

LE GRAND BOUDDHA

Cette énorme statue de bronze de Daibutsu (le Grand Bouddha) mesure 11,3 m et pèse 93 tonnes. Elle a été fondue à Kamakura en 1252, époque où la cité était riche et puissante. Le Bouddha est représenté sous sa forme Amida, invitant les fidèles au paradis occidental.

DIEU DE MISÉRICORDE

Mesurant plus de 5 m, cette statue de Kannon date du début du VIIIe siècle. Kannon était le dieu de la Miséricorde. À l'origine, Kannon était un homme – en fait, une forme du Bouddha. Avec le temps, la coutume lui donna une apparence féminine.

FLEURS SACRÉES

Comme le lotus pousse souvent dans l'eau sale, il symbolisait la pureté de la vie sainte. Dans les textes, il est volontiers associé au bouddhisme. Les chrysanthèmes sont fréquemment posés sur les tombes ou sur les autels bouddhistes dans les maisons. Les fleurs jaunes et blanches étaient les plus populaires parce que ces couleurs sont associées à la mort.

Chrysanthème blanc   *Chrysanthème jaune*

Lotus

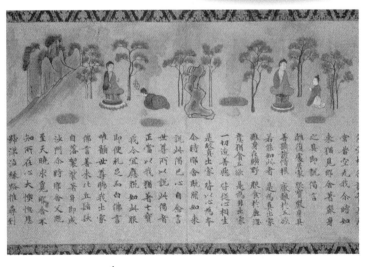

PAROLES SACRÉES

Longtemps après son introduction au Japon, le bouddhisme restait l'apanage des gens riches et éduqués. Eux seuls pouvaient lire les sutras (textes religieux bouddhistes) comme celui-ci, rédigé entre 645 et 794. Il est écrit à la main, mais certains des documents imprimés les plus vieux du monde sont des sutras bouddhistes réalisés au Japon.

TEMPLES ET JARDINS

Comme la terre cultivable était rare et précieuse, on en faisait le meilleur usage. Elle donnait la nourriture en même temps que le plaisir. Tous les Japonais qui en avaient les moyens entouraient leur maison de magnifiques jardins.

Les jardins japonais sont souvent petits, mais dessinés avec soin pour créer un paysage en miniature. Chaque rocher, pièce d'eau, temple ou portail était disposé de façon à être mis en valeur, mais aussi à composer un ensemble harmonieux.

Les plantes étaient en général choisies de manière que le jardin soit beau en toutes saisons, en hiver, en automne, au printemps, en été. Les jardins zen étaient faits de pierre, de sable et de cailloux, et ne comportaient, eux, aucune plante.

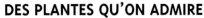

DES PLANTES QU'ON ADMIRE
Les artistes créaient et représentaient de subtils bouquets composés de fleurs et de feuilles. Cette peinture sur rouleau montrant des branches et des fleurs date du début du XVIᵉ siècle.

HARMONIE DES LIGNES
La pagode orientale du temple Yakushiji à Naraest est l'un des temples les plus anciens du Japon. Il fut fondé en 680 et la pagode fut construite en 730. Les pagodes sont de hautes tours qui abritent des statues du Bouddha ou d'autres œuvres d'art religieuses. Elles font souvent partie d'un ensemble de bâtiments à l'intérieur d'un jardin.

UN JARDIN ZEN
Voici un élément d'un jardin zen, composé de pierres et de gravier soigneusement ratissé. Ces jardins devaient favoriser la prière et la méditation grâce à la sérénité qui en émanait.

UNE COMPOSITION IKEBANA

Matériel : vase rempli d'eau, ciseaux, brindille, raphia ou ficelle, deux fleurs (queues de longueur différente), une branche de feuillage, 2 tiges de feuilles luisantes.

1 Coupe la brindille pour qu'on puisse la caler dans le haut du vase. Elle te servira de point d'appui pour mieux contrôler la position des fleurs.

2 Retire la brindille. Puis, à l'aide de raphia ou de ficelle, attache-la bien sur la fleur la plus longue, à mi-hauteur de la queue.

3 Mets la tige dans le vase. En même temps, remets en place la brindille dans le haut du vase et cale-la bien.

DES ARBRES NAINS

Typiquement japonais, le *bonsaï* est l'art de cultiver des arbres miniatures. On taille les racines et on réglemente l'arrosage. L'art du bonsaï est originaire de Chine, mais s'est répandu au Japon au XVIe siècle. Un arbre qui peut atteindre 6 m mesurera 30 cm après un traitement bonsaï. Certains bonsaïs prennent une allure dramatique ou une forme torsadée.

Érable bonsaï   *Pin bonsaï*

STYLE CHINOIS

Le temple Tenryuji, à Kyoto, se situe dans l'un des plus vieux jardins bouddhistes existant encore au Japon. Créé au XIIIe siècle et dessiné dans le style chinois, il se compose de rocaille, de gravier, d'eau et de plantes à feuilles persistantes.

JARDINIERS À L'ŒUVRE

Un jardinier, sa femme et son fils s'apprêtent à planter des jeunes cèdres. Au premier plan, on voit un seau en bois pour arroser les plantes et une binette en bois pour arracher les mauvaises herbes. À l'arrière, il y a une pépinière de jeunes pousses. Les cèdres sont toujours très populaires au Japon. Le bois sert à la construction des maisons, et les arbres, décorent souvent les jardins.

Ikebana veut dire « fleurs vivantes ». Les trois branches principales d'une composition florale représentent le ciel, la terre et les humains.

4 Ajoute la fleur à tige courte. Mets-la en position inclinée. Appuie-la contre la brindille et contre la tige la plus longue.

5 Glisse la branche de feuillage entre les deux tiges. Elle doit se pencher au-dehors et vers l'avant. Le feuillage doit donner une impression de naturel.

6 Dispose des feuilles luisantes près du col. Un ikebana comprend tout ce qui pousse. Le feuillage est aussi important que les fleurs.

7 Ajoute au dos du vase des feuilles luisantes avec une tige plus longue. Ce bouquet est typique de ceux que l'on voit chez les Japonais.

FÊTES ET CÉRÉMONIES

Les Japonais célèbrent des fêtes (*matsuri*) toute l'année, mais surtout au printemps et en été, quand il fait chaud. Nombre de ces fêtes ont une origine ancienne et ont un rapport avec les cultures ou les saisons. D'autres étaient liées aux croyances du shinto ou aux idées bouddhistes importées. Il y avait deux sortes de fêtes. Les fêtes nationales, comme le Nouvel An, étaient célébrées dans tout le Japon. Des fêtes locales se rattachaient souvent à une statue ou à un temple bouddhiste, ou à un ancien lieu de pèlerinage shinto. La cérémonie du thé, apanage des moines bouddhistes de 1300 à 1500, était l'une des plus importantes. L'hôte y versait le thé à ses invités selon un rituel délicat et précis.

DES BOLS POUR LE THÉ

Pour la cérémonie du thé, deux types de thé vert sont servis dans des bols comme ceux-ci. Les bols ont souvent une forme dépouillée et un décor simple. D'après les croyances zen, la beauté peut se trouver dans des choses simples, pures et calmes. Toyotomi Hideyoshi préférait les bols à thé décorés.

UNE FÊTE LOCALE

Des gens font la fête. Dans les fêtes locales, on défilait dans les rues avec des autels transportables au milieu d'une foule joyeuse et très bruyante.

BOL À THÉ

Matériel : pâte à modeler à prise rapide, planchette, règle, spatule, fond découpé d'une bouteille en plastique (env. 10 cm de diamètre), papier de verre fin, peintures, pinceau, pot à eau, chiffon doux, vernis et brosse.

1 Fais un boudin de pâte à modeler de 25 cm de long sur 1 cm d'épaisseur. En commençant au centre, enroule-le pour former un cercle de 10 cm de diamètre.

2 Maintenant que tu as le fond du bol, tu vas faire les côtés. Pétris un boudin de pâte de 25 cm de long. Rassemble les bandes en les ajustant les unes sur les autres.

3 Aplatis les rides du rouleau avec tes doigts et une spatule. Prends comme support le fond d'une bouteille en plastique (voir l'étape 4).

CERISIERS EN FLEUR

Ce bois gravé représente deux femmes vêtues de leur plus beau kimono se promenant dans une allée de cerisiers en fleurs. Pour la fête des cerisiers en fleurs, appelée *Hanami*, on allait pique-niquer entre amis pour profiter du soleil printanier. La floraison a lieu à la fin de février dans l'extrême sud du pays, mais au début de mai seulement dans le Nord.

ARBRES EN FLEUR

Les Japonais guettaient les premières fleurs de prunier, qui apparaissaient vers la mi-février. Le prunier est le premier arbre à fleurir. En mars et avril, les cerisiers suivent, avec des nuages de fleurs parfumées roses et blanches. Les gens se hâtaient d'aller admirer leur éphémère beauté. Cette fête joyeuse était souvent teintée de tristesse. Le printemps est pluvieux au Japon et il suffit d'une tempête pour tout gâcher. La fleur de cerisier rappelle à l'homme la fragilité de la vie.

Fleurs de prunier

Fleurs de cerisier

CÉRÉMONIE DU THÉ

L'hôtesse et ses invitées sont assises sur des *tatamis* (nattes) pour la cérémonie zen du thé. Ce rituel pouvait durer quatre heures. Beaucoup de gens célèbrent encore cette cérémonie pour échapper au rythme trépidant de la vie moderne.

Donne une forme élégante et pure à ton bol, comme les potiers zen. Si tu veux le décorer, respecte sa simplicité.

4 Pétris un autre boudin de 19 cm de long sur 1 cm d'épaisseur. Forme un cercle de 8 cm de diamètre. Joins les deux bouts du boudin. Cela servira à poser le bol.

5 Retourne le bol – toujours avec le fond de bouteille comme support. Pose le cercle de pâte sur le fond du bol. Arrondis bien avec les doigts.

6 Laisse sécher le bol. Quand il est sec, retire la bouteille en plastique et passe doucement le bol au papier de verre. Peins-le. Laisse sécher.

7 Applique ta deuxième couleur à l'aide d'un chiffon. Asperge un peu de peinture pour faire comme un glacis. Vernis l'intérieur et l'extérieur.

GLOSSAIRE

A

Aïkido : art martial où l'on essaie de déséquilibrer l'adversaire.
Aïnous : premiers habitants du nord du Japon.
Ancêtre : membre de la famille mort depuis longtemps.
Armure : habit protecteur composé de plaques de métal se chevauchant.
Ashigaru : samouraï (guerrier) de rang inférieur.

B

Battage : action qui consiste à séparer les grains de blé ou de riz de la tige en les battant.
Bouddha : nom (qui signifie « l'Illuminé ») donné à Siddhartha Gautama, un prince indien qui a vécu vers 500 avant notre ère. Il professa une philosophie nouvelle fondée sur la quête de la paix (nirvana).
Bouddhisme : foi universelle, fondée sur l'enseignement du Bouddha.
Bugaku : danse ancienne qui était appréciée à la cour de l'empereur.
Bunraku : théâtre de marionnettes.
Bushido : code rigoureux d'une conduite brave et honorable, que les samouraïs étaient censés respecter

C

Carnet intime : ensemble de notes et d'écrits ressemblant à un journal intime.
Clan : groupe de gens liés entre eux par leurs ancêtres ou par le mariage.

D

Daimyo : noble ou seigneur de la guerre.
Dynastie : générations successives d'une famille régnante.

G

Garnison : troupes que l'on installe dans une ville pour la défendre. Corps de troupes occupant une caserne dans une ville.

Geta : socques de bois conçues pour garder les pieds au sec.
Gravé : on peut graver dans la pierre ou dans une matière dure comme le bois un nom ou un dessin.
Guilde : association d'artisans qui veillaient au respect de la qualité, formaient les jeunes et s'occupaient des vieux et des malades.

H

Haïku : court poème comprenant dix-sept syllabes. Le haïku fut populaire au XVIIe siècle.
Haniwa : figurines d'argile enterrées dans les anciennes tombes. Ce sont des témoignages importants sur la vie dans l'ancien Japon.

I

Ikat : technique de tissage. Les fils sont teints dans de nombreux coloris, puis tissés pour former des décors complexes.
Ikebana : art de la composition florale, tel qu'il est pratiqué au Japon.
Inro : petite boîte décorée que l'on porte à la ceinture. À l'origine, les inro servaient à transporter des remèdes.

J

Jomon : ancienne civilisation de chasseurs-cueilleurs, qui a existé au Japon vers – 10 000.

K

Kabuki : pièces populaires, jouées au Japon à partir du XVIIe siècle. Les acteurs parlent vite et fort.
Kami : esprits japonais de la nature.
Kana : système d'écriture japonais.
Kanji : images-symboles qui servaient à écrire le japonais avant l'an 800.
Kendo : art martial où les adversaires combattent avec des épées en bambou.

Kimono : longue tunique vague à larges manches, portée par les hommes et les femmes.
Kuzu : plante à la racine charnue, que l'on fait sécher pour l'utiliser dans la médecine traditionnelle.

L

Laque : vernis brillant, fait à partir du suc des arbres.
Litière : lit transportable.

M

Mausolée : monument funéraire.
Métier à tisser : appareil servant à tisser le fil.
Mica : roche brillante, qui s'effrite.
Millet : graminée semblable à l'herbe qui donne des grains comestibles.
Mosaïque : petits morceaux de pierre, de coquillage ou de verre de couleur qui servent à composer des images ou à décorer des objets.
Mousson : vents chargés de pluies abondantes, qui soufflent en Asie du Sud à certaines saisons.

N

Nacre : couche brillante qui tapisse l'intérieur de l'huître.
Netsuké : sorte de bouton sculpté dans l'ivoire et qui sert à attacher des objets à la ceinture.
Nô : forme de théâtre digne et grave apparu au Japon au début du XIVe siècle.

O

Obi : large ceinture portée par les femmes.
Omikashi : autel transportable.

P

Pagode : haute tour à étages, faisant généralement partie d'un temple bouddhiste.
Palanche : longue pièce de bois ou de bambou servant à transporter de lourdes charges. La palanche se place

sur les épaules et l'on accroche
une charge à chaque bout
pour équilibrer.

Péninsule : langue de terre entourée
d'eau sur trois côtés.

R

Ramie : plante proche du lin servant
à confectionner des vêtements.

Régent : il gouverne la monarchie en
l'absence du souverain ou pendant
son enfance.

Rouleau illustré : peinture sur un
long rouleau de papier.

S

Saké : alcool de riz.

Samouraï : guerrier bien entraîné.

Sanctuaire : édifice sacré avec un
autel utilisé dans le culte shinto.

Shamisen : instrument de musique
à trois cordes.

Shinden : large maison sur un seul
niveau.

Shinto : ancienne religion du Japon,
appelée la « Voie des dieux », fondée
sur la vénération des esprits.

Shoen : domaine privé dans la
campagne japonaise.

Shogun : grand général. De 1185
à 1868, les shoguns ont régné
sur le Japon.

Sumo : sorte de lutte populaire
au Japon.

Surcot : longue tunique ample
portée par-dessus l'armure.

T

Tachi : long sabre porté
par le samouraï.

Tanbo : rizière. Champ inondé
où l'on cultive le riz.

Tatami : natte posée sur le sol, faite
de roseaux tissés.

Tenshu : donjon. Haute tour centrale
d'un château.

Tofu : pâte pressée. Aliment
nourrissant fait avec la pâte
de graines de soja broyés.

Torii : portail traditionnel d'un lieu
de culte shinto.

Troc : échange de denrées contre
d'autres d'égale valeur.

U

Uji : clan.

V

Vannage : opération qui consiste à
séparer les grains de blé et de riz
plus lourds de l'enveloppe
extérieure, appelée balle,
en les lançant en l'air.

W

Waka : poésie élégante, appréciée
à la cour impériale.

Z

Zen : branche du bouddhisme,
particulièrement populaire parmi
les samouraïs.

INDEX